私と世界をつなぐ、料理の旅路

——14人の「私が料理をする理由」

はじめに

食べることは、生きること。

それは栄養をとることはもちろん、おいしいと心が喜ぶものを口にして、人生を楽しむことでもある。

そんな食べものへの欲求は人によってさまざまで、私たちの多くはその欲求を満たすために、日々何かしら料理をしているだろう。

当たり前の行為でありながら、でも、料理は食事を作ることだけで終わらない、多様な価値観へつながっているのではないだろうか。


たとえば料理は、思い出を反芻すること。知らない世界を覗くこと。化学者のように探究すること。自分の最大限の表現を目指し、力をふるうこと。

受け継ぐこと。

文化を紡ぐこと。

家族の文化、街の文化、ひいてはその国の文化。

ひと皿が、人の血となり肉となり、そして文化の血となり肉となる。
料理が私たちの心に、世界への興味の種を巻く。

本書に登場する女性たちは、世界各地を旅したり、その国へ暮らしたりして、自分のやり方で料理に触れてきた。レストランや料理教室、家庭の台所など……さまざまな場で料理を見て試し、自分の一部にしてきた人たちだ。それは単に新たなレシピを知るだけでなく、その土地の伝統や習慣、人に出会うことで自分を知る人生の要となった出来事でもある。ある国のひと皿を手がけることは、自分にとっての未知を知ること同時に、気づかなかったルーツを知ることでもある。

彼女たちの料理を通して、おいしさとそこから広がる物語を味わおう。多様な料理を知ることはきっと、世界の国々を旅できるだけでなく、それぞれの人生を旅することもできるのだから。

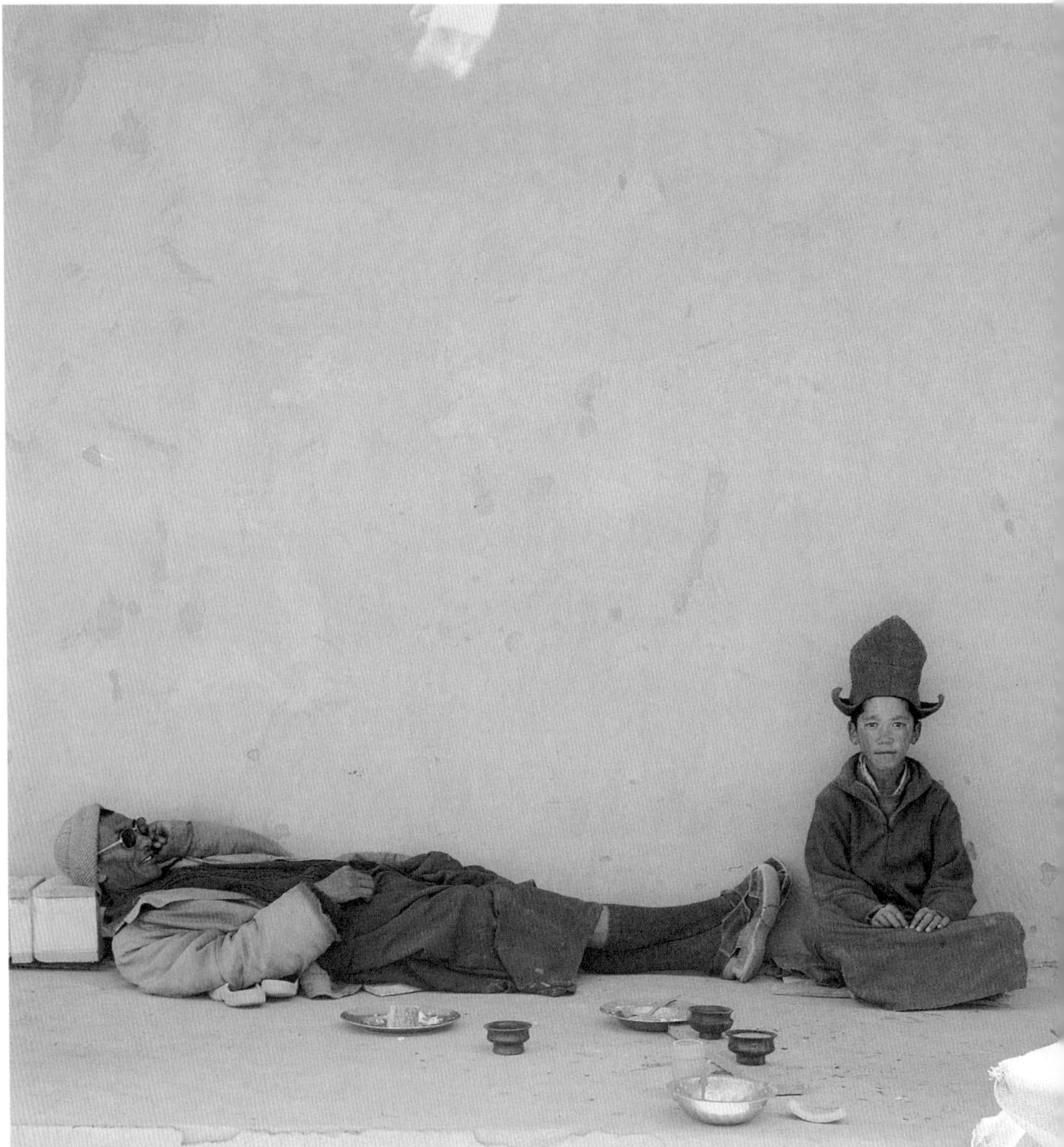

CONTENTS

ლობიანი
0.70
პიშკა
ტარხუნის
ღვეზელი
1.00
ლობიანი
1.30
1.30
კუბდარი
2.30
გურული
1.20
PĄCZEK
KOŁACZ
SEROWY
2.50
D. SKRĘCANA
Z
SEREM 2.00
BUŁKA
MASLANA
0.79
PIZZA
1.99 szt
PALUCH
PIWNY
1.69 szt
OBWARZANEK
GORALSKI
1.69
PIZZA
2.49
PIERNICZKI
CHOINKOWE

01 INDIA

インド料理は終わりのない旅の味

around India

vanam 落合亜希子さん【インドを巡る】

夫婦で営むアルーカチョリの屋台。優しい味わいが人気

自分の好きな味を能動的に模索し、
自分と対話しながら食べるもの

奈良の里山で不定期に営業をするインド料理[vanam]。山小屋のような見た目、庭には葉皿のための芭蕉木。周りに家はあるけれど、ここだけふと空気が変わったように感じる。店主の落合亜希子さんは、ここに店を開いて2023年で10周年を迎える。

鍵っ子だった落合さんは、小学生の頃から冷蔵庫の食材を活用し、晩御飯の支度を手伝っていた。限られた食材で毎日違う味噌汁づくりに励む。帰宅した母に褒められることは、料理を楽しいと思う入口だった。小さな女の子はやがて短大の食物栄養学科へ入学を決めた。

「就職氷河期世代だったので、親から資格を取ったほうがいいと言われて、それなら栄養士の資格を取れる学科へと。栄養士は一つひとつの食品の成分を分析していく学問なので、食べ物って意外と化学なんだということを知れておもしろかったですね。忘れがちだけど、人間と同じように食材にはそれぞれ個性や癖があるものなんだって」

卒業後は地元である静岡で就職。社員食堂を運営する企業で栄養士になった。

「本社は東京にあり、社員食堂を委託で請け負って全国展開している会社でした。その頃、料理自体にはそれほど興味がなかったんですが、献立を考える仕事は向いてる気がする！って妙に自信があって。そしたらその予感は的中で、売り上げがどんどん上がったんです。本社から視察が来るくらいでした（笑）。自由に料理を選び取るアラカルト方式の食堂なので、どう組み合わせてもランチとして成立するように献立を考えないといけないんです。毎日30品目以上考える必要があるから脳内で調理をして考える。これが次に、料理って楽しいと思った時期だったかもしれません」

会社に大貢献した名物栄養士であった落合さんだが、働いて10年経った頃、達成感と疑問とともに退職を決めた。

「ちょうどその頃、友人から『インドに行かない？』と誘われて。それまで海外には行ったことがあったけれど、インドはなかったし、ここで行かなければ一生行かないかもしれないと。1週間程度の短いツアーだったのですが、インドに詳しい友人に旅のしおりを作ってもらって、やることが盛りだくさんの旅に向かいました。しおりには、パンジャビスーツを作るとかスパイスを買って帰るとか、インドでやるべ

02

01

きことがリスト化されていて、言われたことを一つひとつクリアしていくだけでも、インドではスムーズに進まないことが多く便利な生活に慣れすぎていた自分には新鮮で楽しかったです」

これまで落合さんは旅に出ると現地のスーパーでたくさんの調味料を買い込み、自宅で記憶を頼りに料理を作っていたのだそう。でもインドでは周りを見渡すと、スーパーマーケットがない。「調味料すら買えないなら、たまたま見つけたこの市場でスパイスだけ買って帰ろう」。そう思って、いろいろなスパイスが大袋のまま並べられたスパイス屋を覗いてゆく。ただ、ここで一つ問題が。スパイスを見ても、さっぱり何なのかわからないのだ。目に入ったスパイスを「これどうやって買うの？　少しでいいんだけど」と言うと「これぐらいは買わないと」と店主が返す。「それなら全部の種類を、最小単位で1袋ずつちょうだい」と落合さん。店内にある20種程度のスパイスが、次々と袋に入れられていった。

「何が起きてるんだ？という感じで人びとがわらわらとよってきて、すごい人だかりになってしまいました（笑）」

実はこの時、落合さんは体調不良を起こしていた。腹痛や発熱を抱えるなかスパイスを握りしめて、日本へと帰国した。

「ふらふらな状態で日本に帰国したので、とにかく家に着いた喜びが大きくて、せっかく買ったスパイスも半年ほど放置……すると家の中を見たことがない虫が歩いていて、もしや!?とスパイスの袋を開けてみると、虫が……!　ベランダで広げて使えそうなものを救出し、それぞれのスパイスを突きとめる気力がやっと湧いてきました。でも当時日本のスーパーにはスパイスがほぼなかったし、インターネットもないので、わからなくて。図書館でレシピ本を探して『これはクミン』『これはコリアンダー』と見当をつけて、本を片手に料理を作ってみたんです。そしたら意外とできたんですよ。でも正解の味がわからない。本を見てみると著者の方が料理教室を主宰しているとあり、東京の料理教室に通うことに

01.初めてのインドでは北部のヴァラナシへ。写真は河岸に階段上になっているガット（広場）
02.南インド・マイソールの八百屋さん。大ぶりの野菜が生き生きと並ぶ
03.マイソールの花市場
04.チャナマサラの屋台

しました」

東京・三鷹で行われている料理教室「キッチンスタジオペイズリー」へ通ううちに、スパイス一つひとつの個性がわかるようになってきた。20種ほどのスパイスと塩や砂糖以外に、調味料やソースがいらないおもしろさ。落合さんはそこからインド料理の尊さを知る。

「社員食堂で働いていた時は１日６００食作っていたんです。それを効率よく回すにはタレや素、冷凍食品や加工食品をうまく使うことが必要になってくる。本当に痒い所に手が届くように、毎年新商品がどんどん作られるんですね。当時仕事は楽しかったけれど、いざ振り返ってみると料理の本質というか、食材がどこで生まれどのようにここまで辿り着いたのかという道筋が見えないものばかりになっていた。私のやっていたことは、命のエッセンスやエネルギーが脆弱なんじゃないかなと思うようになりました。料理をやっているようで、実は料理から離れていたのかもしれない……」

インド料理はそれとは全く正反対のシンプルな料理だった。種や茎、蕾や花であるスパイスを使って作る料理。それを落合さんは「まやかしのない堂々とした料理」と言った。

「インド料理を知ったことがきっかけでパーマカルチャーにも興味を持つようになりました。同時に当時、市内保育所管轄栄養士として働かせていただくようになって。成長に関わる献立を作ることは、大人の食事を作っていた時以上に、料理に真摯に向き合わないと、と考えさせられる経験でした」

２０１０年、落合さんは奈良へ移住しインド料理との関わりを模索する。自宅で料理教室を開催してみると、想像以上に人が通ってくれるようになり、インド料理の道を少しづつ自分で開いていった。そして２０１２年、再びインドへ向かった。

「いろいろなレシピを学んできたけれど、作っていくうちに、この料理はインドで本当に食べられてるのかな？　どんな時に？　どんな風に？って疑問がどんどん湧いてきて。確認しに行きたくなったんですね。もちろん本当に食べてたんですが（笑）」

　デリーから入りチェンナイやタミル・ナードゥなど南インドを巡る。ちいさな町を歩けばチャイ屋さんやテーラー、クリーニング店など、青空の下で人々が働く姿が見えた。生活が道路に、外に溢れ出ている光景は落合さんの心も生き生きとさせた。家庭料理を知りたかった落合さんは、リキシャの人やアーユルヴェーダの治療院など、いろいろなところで「料理を知りたい」と伝えていく。

「どこかで尋ねて紹介してもらうこともあれば、誘われることも。特に女性たちは、おかあさん目線で私に『ご飯食べた？』って聞いてくれる人が多くて。『どこで食べてるの？』『そんなところで食べちゃダメよ、うちにおいで』って声をかけてくれる。そうすると次第に、『あの家のあの人の料理おいしいのよ』とつながっていく。まるでテレビの『突撃！隣の晩ごはん』の世界（笑）」

　偶然出会った家庭で料理を教えてもらう。街の至るところに開く屋台で、作り方を見ては学んでいく。あるおかあさんには、チングリバパ（小エビのマスタードソース蒸し）を教わった。二段調理で作るチングリバパはご飯を一緒に炊き上げる。昔は

05.ケララ州で家庭料理を教えてもらう。海が近いため、この日は貝も使って　06.「パロタを作る様子はずっと眺めていられる」という落合さん。ケララ州にて

Kerala

केरल, भारत में।
घर का पकवान

ガス代を節約しなければならず、そのために二段調理を用いていたのだそう。

「家庭料理はおかあさんの知恵が詰まっていて一石二鳥。晴れの日のご飯ではないけれど、命をつなぐことが料理の意味だとしたら、おそらく家庭料理がその役割を担ってる。子どもの頃の記憶にも影響するし、その人自体を形づくる料理です。だから私は家庭料理に興味があるんだと思います」


大量調理を経験したからこそ落合さんは、自身にとって食とはどういう存在なのかをインドで見つめ直すことができたのではないだろうか。

「インド料理と出会った時、私の中で『やっと探していたものに出会えた！』という感覚があったんですね。植物の部位を使って手がけるという、とても原始的な料理でありながらインド大陸の人たちを何千年も生かしているなんて、すごい。だから私自身はこの料理を通して自分を表現したいというよりも、インド料理の尊さを『これってこんな風に作るんだよ、すごくない？』と伝えていきたい」

　だからなるべく現地に忠実に再現をする。「日本にいると出てくる料理は基本的に完成形です

07.ボンディシェリの知人宅。キッチンはもちろんん家もセルフビルドなのだそう

बहुत स्वादिष्ट। दक्षिण भारतीय फ़िल्टर कॉफ़ी नाश्ता बरतन की दुकान

08.チェンナイのホームステイ先で飲んだ南インド式フィルターコーヒー 09.アーユルヴェーダホスピタルの朝食はできたてのイドゥリとココナッツシチュー 10.旅先で落合さんが好んで足を運ぶのがキッチン用品店

よね。でもインド料理は、加工や工夫といった現代の人間の知恵が蔓延していないところもピュアでいいなと思います。食べる人が混ぜたり足したりできる余地があり、自分の好きな味を能動的に模索し、自分と対話しながら食べるもの。料理人のエゴがなくていいなと思います。自分と相談しながら食と向き合う状態が常に作られているんです。感覚を総動員して自分の味覚と照らし合わせる。好きかどうかわからない味に出会うことだってある。受け入れながらも自分の感覚を確認し実験するということが、一つのプレートの中に用意されていて、ああ人生だなと思う。栄養士として献立を考えていた時は、私がそれを全て組み合わせて提案することが当たり前だったけれど、インド料理は自分でそれをやっていく料理。そんな風に発見しながら、食べながら自分という旅をすることができる。それがインド料理だと思います」

決まり決まった正解がないからこそ、そのひと皿には永遠に未来と旅が広がっている。ちいさな植物を使った料理が、こうして何千年も命を紡ぎ想像力と生命力を掻き立てている。

11.[vanam]のランチ。この日はサンバルをメインにした南インドの定食ミールス 12.里山に開く[vanam]

Recipes from the trip

चिंगिरी भापा

落合亜希子さんの
旅のレシピ

チングリババ

(小エビのマスタードソース蒸し)

【材 料】小ボウル1杯分

- むきえび…130g
- 玉ねぎ(みじん切り)…40g
- 青唐辛子…2本
- A
  - ターメリック…耳かき1杯ほど
  - クミンパウダー…同量
- 塩…少々
- 水…50CC
- マスタードオイル…大さじ1

〈shorshe source〉

マスタードソース

- ブラウンマスタードシード…小さじ1
- イエローマスタードシード…小さじ1
- 青唐辛子…半分
- ポピーシード…小さじ1
- ココナッツシュレッド…大さじ1
- 塩…小さじ1/3
- お湯…50cc

炊飯用:米はお好みの種類・量を用意
米1合:水180〜200cc

【作り方】

1.マスタードソースの材料を分量のお湯にしばらく(1時間〜ひと晩)浸けた後、ミキサーにかけてペースト状にする。
2.蓋のできる大きめの鍋に炊飯できるよう米と水をセットし浸水しておく。
3.耐熱の容器に(丼やボウルなど)きれいに洗ったむきえび、玉ねぎ、切り込みを入れた青唐辛子1本、**A**、塩と水を入れる。
4.1と**3**を混ぜ合わせ、マスタードオイルを入れる。
5.4をボウルごと米の中心に置き蓋をして強火にかける。沸騰したら弱火で15分ほど炊いて蒸らす。
6.仕上げにグリーンチリ1本と、分量外のマスタードオイルを回し入れて塩加減をととのえる。
7.6を器に盛り付ける、または炊き立てのライスにかけて、できあがり。

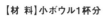

02 INDIA

around India

インドで芽生えた料理への好奇心

Samosa wala Timoke 北村朋子さん【インドを巡る】

ある朝の、チャイ小屋の風景

インドで見てきた野菜の色合いもそうだし
街の風景だって、料理で表現できる

Samosa

समोसा

भारतीय स्ट्रीट फूड
स्वादिष्ट

ひと口かじると、スパイスで味付けされたホクホクのジャガイモやグリンピースが顔をだすサモサ。このインドのストリートフードは、最近日本でも目にする機会が増えたのではないだろうか。［Samosa wala Timoke］の北村朋子さんが作るサモサは、さりげなく膨らんだコロッとした見た目と、思わず指で撫でたくなるフリルのような包み口で、手軽に食べられる一品ながらも丁寧に作り込まれたサモサに美しさまで感じる。

　北村さんが旅に興味を持ったのは中学生の頃、親が図書館で借りてきた一冊の本がきっかけだった。それは沢木耕太郎さんの『深夜特急』。夢中でページをめくっていった。

　高校生になると、大沢たかおさんが主演を演じたドラマ版「深夜特急」が放映された。海外に行ったことはなかったけれど、自分もいつか旅に出てみたいという気持ちがますます高まっていく。でもなかなか行く機会はつかめなかった。

　高校卒業後は東京の写真専門学校へ入学。ファッション写真に興味があった北村さんは、広告写真の勉強をし、卒業後東京のスタジオでアシスタントとして働き始めた。撮影のためにさまざまなカメラマンが出入りするスタジオは、まだ20歳の北村さんにとって新鮮な出会いばかり。先輩カメラマンの旅の話に耳を傾けるのが好きだった。

「先輩の話を聞いているうちに、やっぱり海外へ行ってみたいと思うようになって、初めての旅は友人とタイに行ってきました」

　時は2000年頃。まだスマホもなく、ガイドブックを携えて緊張しながら旅が始まった。1週間の旅はあっという間だったけれど、現地で宿を探しながら過ごす日々は新鮮で、冒険しているような気持ちになった。

「休暇を終えて仕事に戻ったのですが、実はこのスタジオがおもしろくて、夏になるとマッサージ師を呼んで、カメラマンやスタッフにマッサージをサービスするキャンペーンをやっていたんです。みんな撮影で忙しいので使う人は少ないんですけど（笑）。私は新人で時間があったので、マッサージ師の平木さんとよく話をするようになりました。平木さんという方はおもしろいんですよ。一年の半分はインドで暮らしていて、残りの半分は日本で出稼ぎするという暮らし方をしていたんです」

スタジオの旅好きな先輩も平木さんも口を揃えて言うのが「インドを好きか嫌いかは、行ってみないとわからない」ということ。

「もともと布や手しごとのものが好きなので、インドで見てみたいなという気持ちもあって。スタジオを辞めてインド行きを決めました」

ちょうど写真との向き合い方も考える時期だった。ファッション写真に憧れて業界に入ったけれど、商業的な一面を見るうちに、興味はスナップ写真へと変わっていたという。これからは自分の写真を撮ってみたいと考えるようになり、仕事を辞めて旅に出てみたいと思うようになった。とは言っても、一人旅は初めて。さすがにいきなりインドへ行くのは怖さがあった。そこで北村さんはまず国内で一人旅をしてみようと、沖縄に向かった。

「3ヶ月沖縄で過ごそうと思って、ゲストハウスを渡り歩いていたら、同じように一人旅をしている女の子と仲良くなったんです。旅先で知らない人と仲良くなるということが、初めての経験だったし一人旅でないと起きないことだと思うから、楽しくって。何島か彼女と旅をしました。インドに行くと話すと、実はその子もインドに行きたいと思っていたことがわかって、翌年二人でインドの旅に出たんです」

エア・インディアに乗ってデリーを目指す。マハラジャくんというキャラクターがマスコットのこの飛行機は、機内に乗るとサリーを着たＣＡの姿が。それだけでもかわいさにワクワクしてきた。デリー国際空港に降り立てば、紋様や色彩に溢れた空間に魅せられる。

「日本の空港は無機質で特徴がない印象だったので、全然違うデリー国際空港の姿に胸が打たれました」

01.初めてのインド。ブッタガヤにて
02.バラナシでは街角で青空理髪店に出合う

北村さんの、初めてのインドの旅が始まる。

「デリーのあとタージマハル、バラナシ、ジャイプールに行こうと決めていたので、電車のチケットだけ旅行代理店で取ろうと思ったんですね。でも最初から騙されてツアーを組まされてしまって。一つずつ電車と宿を取っていくのは大変だぞって言われて、宿も込みのプランを組まされちゃったんです。しょうがないからブッタガヤのあとのバラナシまではそのプランで行動していたのですが、もっと長くいたいと思う場所もあったし、時間が制約されるのが嫌で。途中でプランを捨てて、自分たちのペースで進むようにしました。当時は食の探究ではなく写真を撮るために行っていたから、行く先々でカメラを向けて。日本に帰って現像して、またインドに届けに来ようと考えていたんです。嫌なこともいっぱいあったけれど、僅差で楽しかったことのほうが上回って、戻りたいという思いが強くなりました」

初めてのインドは、珍しさもありいろいろなものを食べたけれど、すごくおいしいと感じるものがなかったそうだ。今より食に興味がなかったということもあるかもしれないが、「全部埃の味がする、と思っていた（笑）」と北村さんは語った。もちろんお腹を壊すというインドの洗礼も浴びた。ドロップインで参加していたヨガの先生が宿までお粥を届けてくれたという。

「唯一、そのヨガの先生が作ってくれたお粥がすごくおいしかったのを覚えてます。キチュリという豆のお粥なんですが、豆とお米にほんのりスパイスを効かせて煮込んだものでした」

帰国後北村さんは、次は一人で行ってみようと旅費を稼いだ。現地で撮った写真を現像して持っていく計画もあり、普通の旅よりも予算が必要だ。1年間バイトをして、半年の旅を実行した。

भारत यात्रा
मैं मलिने के लिए आभारी हूं।

03.ヨガの先生と奥さんと一緒に

二度目はビーマンバングラデシュ航空に乗ってタイ経由。まずはタイとラオスで一ヶ月過ごし、そのあとタイのバンコクからインドのコルカタに飛んだ。

「コルカタに行ったあとバラナシに行って、一度目の旅で習っていたヨガの先生とタブラの先生のところを尋ねたんです。再びタブラを習ってみたんですが全然向いてなかった（笑）。でも先生に気に入られて『練習しなくていいからご飯を食べに来い』って言われて。コルカタ出身の奥さんの料理が本当においしかったですね。それで気づいたんですけど最初の旅ではレストランでしかご飯を食べなかったので、家庭料理のおいしさを知らなかったんです。ヨガの先生にも食事に招かれることが多く、バラナシで一ヶ月過ごすなかでインドのおかあさんの味を知っていきました」

北村さんの食への興味が少しずつ開きだした。ヨガとタブラの先生の元へ通うなか、ある日細い路地を歩いていると「北村さん！」と呼び止める声が聞こえた。振り返ると、そこにいたのはマッサージ師の平木さんだった。

「やっぱり来ると思ってたよ」と声を弾ませる平木さん。驚きと再会の嬉しさに加え、こういう偶然が起きるのもまたインドなのだ、と妙に納得する北村さん。「ダラムサラという街でマッサージをやってるから、こっち方面に来る時はおいでよ」と言われ、二人は連絡先を交換した。

「もともと二度目のインドでは、最後にザンスカールという場所へ行きたいと思っていたんです。昔写真集で見たことがあって、写真で見た景色が忘れられない素晴らしさで。でも標高５０００ｍの山を越えないと辿りつかない秘境なので、一人で行くには過酷すぎる。せめてその手前のラダックにだけでも行きたい……と考えていました。地図を見てみると、平木さんがいたダラムサラはラダックの手前だったんです。それならダラムサラに行ってからラダックへ向かおうとルートを決めました」

旅にアクシデントはつきものというように、北村さんもこれまでいくつものアクシデントにあってきた。その具体的な例はここでは書かないけれど、「もう旅をやめようかな」と思うぐらい辛い経験もあった。

「インドは、毎日が非日常すぎて穏やかな日がないというか。それが楽しかったのですが、半年もいると疲れてきた部分もありました。そんな時に嫌なことが重なって、なんとかダラムサラまでたどり着いたけれど、もうインドなんか嫌だ！というぐらいに気持ちがなっていて」

しかしダラムサラに着いてみると、そこはこれまで見てきたインドと様子が違った。実はこの町はダライ・ラマが亡命生活を送っている町であり、チベット仏教徒が集まる場所だったのだ。暮らしている人々もチベット人が多い。

「平木さんが住んでいる場所の1階は、なんとチベット人の旦那さんと日本人の奥さんがやっている日本食のレストランだったんです。2階を宿にしているそうで、『旅に疲れたならしばらくここにいたら？』と言ってもらえて。その食堂はとても人気があり毎日忙しかったので、手伝うことになり

05

04

04.雪が残る6月のザンスカール

05.ラダックにあるちいさな村・ダーハヌ。「花の民」と呼ばれるドクパ族の人たちが暮らす

ました。実はそれまで全く料理をしたことがなかったんですけど（笑）、野菜を切るというような普通の行為をしたいと思って」

ひたすらキャベツの千切りをしたり皿洗いをしたり、ホールを手伝った。そして10日くらいが経った頃、心の傷が癒えていることに気づく。「やっぱりザンスカールまで行ってみたい」と思うまで、北村さんの心は回復した。「料理っていいな」。初めてそう感じた出来事だった。

気を取り直して再び旅を再開すると、ダラムサラで同じ日本人の旅の仲間ができ、今までよりはほんの少し気楽な旅が始まった。まずラダックに着き、ダーハヌという村を目指してバスに乗ると、そこで、自分たちと同じように旅するなかで出会ったという日本人とインド人の二人組に出会った。彼らもダーハヌに行くと言い、４人で村へ向かうことに。すると村唯一のゲストハウスでは日本人とドイツ人の二人組に出会った。このドイツ人男性、実はザンスカールに30年も通っているという。ラダックからザンスカールはジープを借りないと行けないし諦めようかと思っていたところ、彼の提案で６人で向かうことが決まった。旅の最後の目的が無事成し遂げられた。

この二度目の旅でインドの家庭料理を知った北村さんは、現地で食べられていた菜食主義に興味を持つようになった。さらに、ダラムサラの食堂でキッチンを手伝った楽しかった記憶が、北村さんを料理の道へと引き寄せる。「写真は続けたいけれど、料理をもう少しやってみたい」と、近所の玄米菜食のレストランで働きはじめた。

「経験がないのでキッチンで雇ってくれるお店が全然なかったのですが、そこは雇ってくれることに。フェアトレード事業がメインの会社だったので、初めはインターンとして80時間ボランティア。これも勉強と思って働くうちに、気持ちが写真から料理へとシフトしていったんですね」

しばらくするとともにラダックやザンスカールを旅した日本人とインド人の二人組から結婚する知らせが届いた。彼らはその後も旅を続け、最終的に付き合うようになったのだ。「インドへ移住する前に、まずは日本で二人で暮らす」と、インド人の彼が来日。料理好きな彼は、料理道具やスパイスなどさまざまなものを日本へ持ってきた。

06

07

08

06.北村さんが「一番おいしいインド料理を作る人」と考えるシェフ、ラケッシュさん。たびたび、料理のアドバイスをもらっているそう
07.08.熱々のチャイと、サモサやワダやパコラなど。ちょっとした楽しみが、チャイ小屋には詰まっている

「彼が日本に来てしばらくすると、知り合いを集めて料理教室をするようになったんですね。その時、初めて本場のサモサを教わったんです。サモサはインドのストリートフード。インドでは道を歩いていると掘立て小屋みたいなチャイ小屋が点在していて、行き交う人がさっと飲んで帰っていく。バスを待ってる間にちょこっと飲むとか、朝は新聞を読みに小屋へ来るとか。チャイ小屋には必ず軽食としてサモサがあって。私はこのチャイ小屋文化がすごく好きで、いつかそういう場所をやりたいなと思う気持ちもありました」

手軽だからこそ、日常の一部。日本でも喫茶店やカフェはたくさんあるけれど、まるで水を飲むように何度もお茶やコーヒーを飲みに行く人は少ないだろう。飲みに行くというより、それは生活の習慣の一つで、歯を磨いたり洗濯をしたりするのと

09.イベントなどで提供する「Seasonal spice plate」。ポリヤルやアヴィヤルなど彩り豊かな野菜料理が並ぶ

स्वादिष्ट, भारतीय सब्ज़ी व्यंजन
Seasonal Spice Plate

同じように当たり前の行為なのかもしれない。

その後北村さんは、自分で作ったサモサを友人の家へ手土産として持っていくようになった。北村さんのサモサのおいしさに「お店できるんじゃない？」という人も。国立で行われるマルシェ「日曜市」で出店することが決まり屋号も取得。２０１０年から、[Samosa wala Timoke]としての活動が始まった。今度は食の視点で歩く、インドへの旅も始めた。

「今までインド旅したのは10回。最近は同じようにインドの食を手がけている[Indian Canteen AMI]の店主と一緒にインドへ行っています。彼女もインドが大好きで一人旅をしていた人で、二人だからできることをやろうと、いろんな料理を一緒に食べ歩いています」

店で料理を見ることもあれば家庭に入ることもある。前回の旅では朝の散歩中に知り合った女性が家へ招いてくれて、ポハというライスフレークを教えてくれた。ポハは朝食やバススタンドの軽食としてよく食べられているのだそう。北村さんは現地で見た家庭料理やストリートフードを、じわじわと自分のものにしていく。

「必ずいろんなチャイ小屋にサモサを見に行って、仕込んでいたら覗かせてもらいます。インドってやっぱり生きているというエネルギーをすごく感じる国。特にチャイ小屋のような表舞台ではない場所で働く人たちは貧しい人が多いのですが、朝６時頃からずっと仕込んでいたり、ずっとサモサを揚げていても、大勢でわいわいやっている姿がいいなって。全員が100%の力で生きているという感じがするんです」

サモサという小さな軽食が持つ、おいしさだけでない役割や存在にきっとずっと惹かれているのだろう。でも北村さんは、写真と全く違う料理を生業にすることはどう思っているのだろう。

「写真はシンプルに良い悪いと答えられる世界ではなく、とても抽象的ですが、料理はおいしいかどうかが重要で、反応もダイレクトに戻ってくることがおもしろいですね。でも、ものを作る気持ちという点で、写真と料理にそんなに違いはないと思っています。私にとって料理も写真も、絵を作る感覚。お皿の上でどう表現するか、それは写真と一緒だなと思ってるんです。現地の味を再現したいとは思っていなくて、自分の料理のエッセンスとして現地で食べてきたものや、日本で学んだ玄米菜食の視点を入れていきたい。たとえばインドで見てきた野菜の色合いもそうだし、街の景色だって、料理で表現できると思っています」

写真につながる、北村さんにだけしかない美的価値観や創作欲。五感で感じたことが、今ひと皿の上で繰り広げられる。

Recipes from the trip

पोहा

北村朋子さんの
旅のレシピ

ポ　ハ

【材 料】約2人分

- •ライスフレーク…2カップ
- •玉ねぎ(みじんぎり)…50g
- •カリフラワー(1cmの小房)…50g
- •パクチー(細かく)…適量
- •青唐辛子(細かく)…適量
- •レモン汁…適量
- •ウラドダル…小さじ1
- •マスタードシード…小さじ1
- •ターメリック…小さじ1/2
- •カレーリーフ…10枚
- •塩…小さじ1
- •油…大さじ1

【作り方】

1.ライスフレークをザルとボウルを重ねた中に入れお米をとぐように洗う。3回程度水を変えしっかり水をきっておく。

2.フライパンに油を入れ、ウラドダル、マスタードシード、カレーリーフの順に入れる。スパイスが弾けてきたら玉ねぎを入れて炒める。

3.玉ねぎが透き通ってきたら、カリフラワーを入れさらに炒める。

4.野菜に火が通ったらターメリックを入れ、水切りしたライスフレークを入れ炒める。

5.お米がふっくらしてきたら塩、パクチー、青唐辛子を加え味を整える。

6.最後にレモン汁を入れて、できあがり。

03 VIETNAM

live in Vietnam

思考を共有する手段としての料理

ベトナム料理研究所 **ユキ**さん【ベトナムに暮らす】

牛肉のロット葉包み焼き。香りが良い葉っぱで牛肉を巻いて炭火で焼いていただく。ライスペーパーで野菜や麺と一緒に巻いてタレをつけて

それぞれ食べているものが
少しずつ違う可能性がある食卓

レストランでもカフェでもなく、会員制の料理教室でもない「ベトナム料理研究所」。その名からして、完成形は決まっていない活動体のような印象を受ける。研究員は、ユキさんただ一人。

「子どもの頃から料理好きというわけではありませんでした。ただ、食べることは好きだったし、テレビの料理番組を見て、料理人という職業に憧れがあって。調理師学校に行ってみたいと思っていました」

高校卒業後、大学の食物栄養学科に入ったものの、調理師学校への憧れは諦めきれなかった。1年で早々に退学をし、大阪の辻調理師専門学校へ入学することに。学校が始まるまでの休みを使って、友人と旅に出てみようと思いたった。1999年当時、もちろんインターネットは日常にない。海外旅行情報誌「AB-ROAD」を手にしたユキさんは、パラパラとページをめくった。そこには、現地で料理を学べるツアーの情報が。ベトナムとアイルランド、二つの行き先について、ちいさく情報が書かれていた。

「初めての海外旅行でどちらも興味があったのですが、アイルランドは高すぎて。ベトナムに行くことになったんです」

タンソンニャット国際空港に降り立った瞬間、想像以上のむっとした熱気に包まれる。向かう先は南部のホーチミン市。ベトナム最大の都市であり経済の中心地・商都である。人を乗せ人力で漕ぐシクロとバイクがびゅんびゅんと行き交い、街を歩けば熱気だけでなく、あっという間に活気にも包まれた。

「社会主義国というのもあって経済競争という空気がなかったというか。お店の人も愛想がないし、百貨店でさえも閉店10分前ぐらいには片づけ始め、早く出てってくださいというような雰囲気があって（笑）。店番をしながら食事していたり、子どもの世話をしていたり。仕事場の先に生活が見えている感じが、とてもおもしろくて」

料理を学べるというのは、現地の料理学校が主催する授業へ参加するということだった。それまで親から教えてもらったり、レシピ本を見て料理をしてみたことはあったけれど、専門的な学校という場で習うのは初めてのこと。けれど、それは私たちが想像するような料理の学び場とは

01.路上にはココナッツ売りの姿が。ココナッツは体を内側から冷ましてくれる飲み物。自然の恵み

dừa đường phố việt nam

違ったようだ。大さじも小さじも計らなければ、調味料をとるスプーンも適当な形のもの。おおらかにのびのびと、ひと皿が作られる。料理の仕方がまるで違った。

「揚げ春巻きや、卵と野菜を使ったバインセオ、デザートのランプータンの焼き菓子など、一週間で5品の料理を教えてもらったのですが、ざっくりとした分量で作られていくことがとても新鮮で。こういうやり方があるんだと、見ているだけでも楽しかった。性に合ったんだと思います。絶対にもう一度ベトナムに戻ってきたいと思うようになりました」

辻調理師専門学校を卒業後、アルバイトや両親の援助をもとに集めたお金で、「まずは1年」と、ユキさんは再びホーチミン市にたどり着いた。初めは料理を学ぶために語学学校へ。料理上手だと噂の先生に「料理を教えてほしい」と言えば、学び場は教室から先生の自宅へと変わった。先生が書いたベトナム語のメモを頼りに市場で買い物をする。市場では数十種類のハーブや野草、青々とした果物や野菜たちが並ぶ。季節の移り変わりは雨季と乾季が主のベトナムは、食べ物の旬も日本ほどわかりやすくはないという。マンゴーやパパイヤ、バナナ、スターフルーツなど、ものによっては熟す前から調理に使うことも多い。熟し加減で使われ方が変わるのだ。苦瓜の葉っぱやカボチャのツルなど、日本では食べない部位を使うこともあり、真新しさの連続だった。調理中は先生の言葉を復唱しながら、料理を通してベトナム語を教わっていく。雷魚を使った熱々のお粥は、先生との思い出のひと皿になった。具材は違ってもお粥自体、日本にもともとある料理だからだろうか。ここから先、想像以上に長く続いたベトナム暮らしの中で、幾度となくユキさんの疲れた心を温めてくれたのが、お粥だった。

　学校では、同世代のベトナム人との出会いもあった。

「グループ校にベトナム人向けの外国語学校があって、受付の人が『日本人の女の子が留学に来てる』と生徒に紹介してくれたんです。ミーとランという女の子たちと、語学を学ぶという目的で遊ぶようになりました」

　ここで出会ったミーさんがまた料理上手だった。日本語とベトナム語の練習を名目に、集まる場所はミーさんの自宅。訪れるたびに、食卓にはミーさんの手づくり料理がずらっと並ぶ。ベトナム料理は大皿をみんなで囲むスタイルで、日本では一汁三菜が基

02.街の至るところにあるお粥屋さん。疲れた時もお粥をひと口食べるだけで、気持ちが前向きに　03.通りにはいつも同じ時間帯に同じ屋台が。それぞれの屋台は店主が作っている一品入魂のものが多いそう

本と言われるが、ここベトナムでは一汁二菜が基本。スープを食べる時はスプーンを使って器に直接口をつけない。麺料理を食べる時に丼を持ち上げない。そんなマナーも日常生活では求められる。

お腹いっぱいになった後は、ミーさんが材料や分量をざっくりと教えてくれた。手元には、ベトナム料理のレシピが少しずつ増えていく。ユキさんは同時に、現地の婦人会館という場所で料理教室に通うようになった。そこは男女問わず、「自分の店の味をもっと良くしよう」と通う人もいれば、「家庭の味を高めよう」と通う人もいた。料理を覚えることを軸に、ベトナム人との出会いが広がっていく。

まもなくユキさんは、現地で暮らしている日本人と結婚し出産。1年と予定していたベトナム滞在はそのまま、期限のないベトナム暮らしへと変わっていった。

「ベトナムでは中流以上の家庭はお手伝いさんを雇うことが一般的なので、私たちも雇うことにしたのですが、またそのお手伝いさんが料理上手で」

人はいろいろな出会いと経験を繰り返すけれど、出会う人出会う人、料理が得意というのは一つの縁ではないだろうか。子育てが中心となる日々のなか、自宅でお手伝いさんからミークアンという麺料理や鰻のターメリック炒めなど食べたことのない料理を教えてもらう。彼女はクアンガイ省の出身で、その特徴がひと皿の中にも滲み出ていた。

「子どもが1歳になった頃、観光客向けの料理教室とカルチャースクールを始める会社に関わることになりました。私の役目は、料理教室の先生を面接して、授業のアシスタントと通訳をすること。あと、生徒向けにレシピの翻訳も」

04.日本の団地にも似ている、ベトナムの集合住宅。住宅の近くには夜になるとたくさんの屋台が出ていたのが印象的だったそう

仕事ではあったけれど、先生から料理を学ぶという環境に再び舞い戻る機会。料理教室の面接にはレストランで働いているシェフや、大学や専門学校で料理を教えている人など、さまざまな人が講師になろうとやってきたのだ。

「何人もの先生と出会って面接していくうちに、料理に対する考え方は、個々人はもちろん世代で違うということを目の当たりにするようになって。面接では実技として揚げ春巻きともう一品、そしてデザートを作ってもらうのですが、その料理を選んだ理由や味付けの理由を聞いても答えられなかったりする人も多くて。他の料理教室で作ったものをそのまま出しているのだろうなというものもありました。それでは、教わる側もきっと楽しくないですよね。思想とまで言ってしまうと語弊があるかもしれませんが、こういう料理を作りたいという思いがある上で、ひと皿ができあがっている。誰かのコピーのような料理だと、やっぱりすぐわかってしまう。料理一つひとつにその人らしさがないとダメだということを、学んだように思います」

料理を作ることは、自分が今まで育ってきた味わいや好みの味わい、好みの盛り付け、そして過ごしてきた環境など全てが組み合わさっていくことだ。それはまさに、自分の背景を語ることだと言えるだろう。

「揚げ春巻き一つをとっても、先生ごとに揚げる温度が違ったり、具材が少しアレンジされていたり。小さな違いですが、40人ほどの揚げ春巻きを見ていくと、同じものは一つもありませんでした。昔か

05.働いていた料理教室。教室の内装はアンティークショップを営む友人が考えてくれたそう

05

Rất nhiều rau.

Nấu ăn là rất nhiều niềm vui.

料理教室でのベトナム人の先生の料理。06.エビの中華麺巻き揚げ　07.果物を使ったサラダ。ドラゴンフルーツを器にして　08.ホイアン名物の米麺料理カオラウ　09.コムタムという砕き米を炊いて、焼き豚肉、豚の皮のせん切りなどとタレをかけて食べる料理。朝ご飯の定番

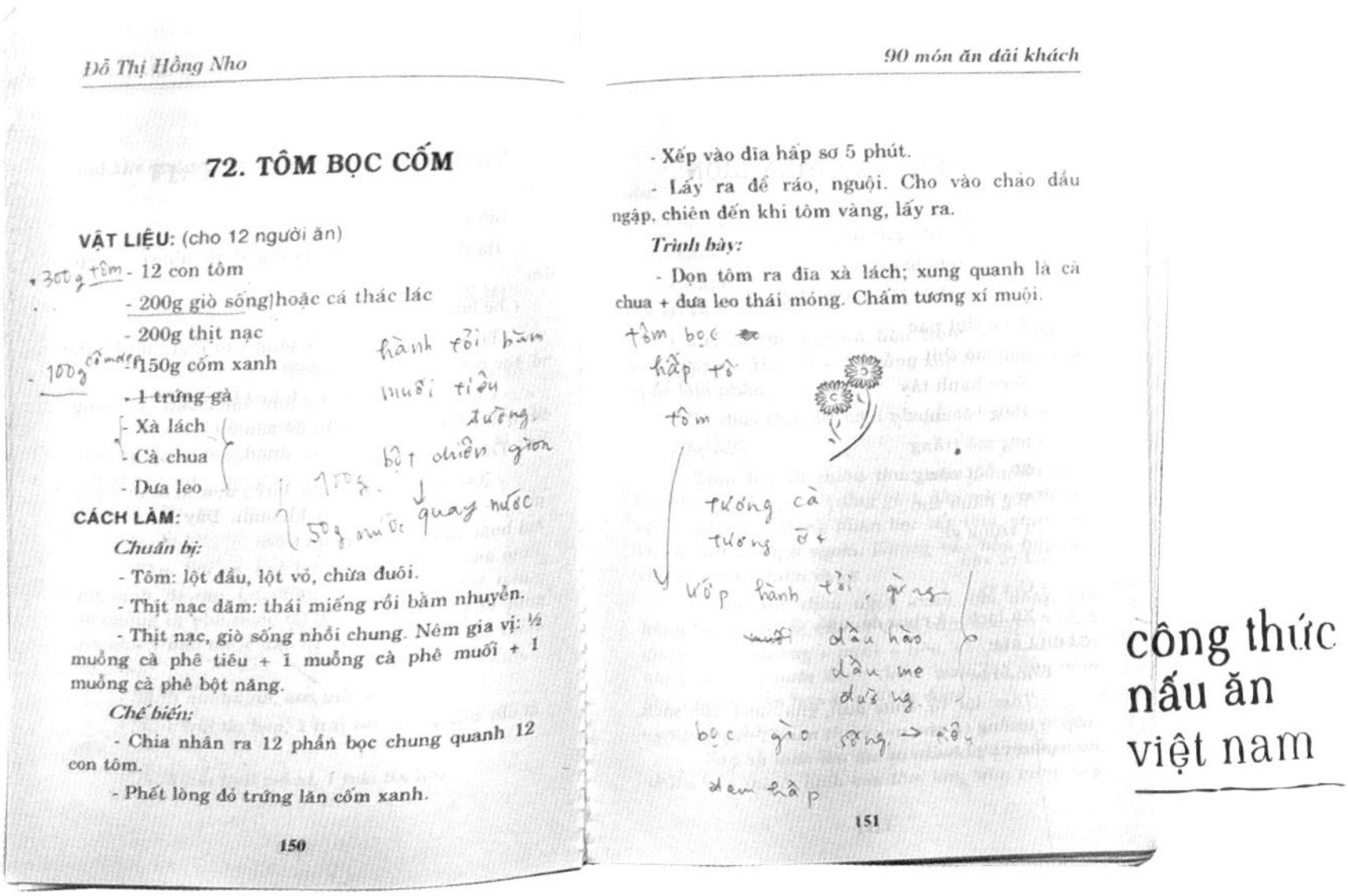
Đỗ Thị Hồng Nho

72. TÔM BỌC CỐM

VẬT LIỆU: (cho 12 người ăn)
- 12 con tôm
- 200g giò sống} hoặc cá thác lác
- 200g thịt nạc
- 150g cốm xanh
- 1 trứng gà
- Xà lách
- Cà chua
- Dưa leo

CÁCH LÀM:
Chuẩn bị:
- Tôm: lột đầu, lột vỏ, chừa đuôi.
- Thịt nạc dăm: thái miếng rồi bằm nhuyễn.
- Thịt nạc, giò sống nhồi chung. Nêm gia vị: ½ muỗng cà phê tiêu + 1 muỗng cà phê muối + 1 muỗng cà phê bột năng.
Chế biến:
- Chia nhân ra 12 phần bọc chung quanh 12 con tôm.
- Phết lòng đỏ trứng lăn cốm xanh.

150

90 món ăn đãi khách

- Xếp vào dĩa hấp sơ 5 phút.
- Lấy ra để ráo, nguội. Cho vào chảo dầu ngập, chiên đến khi tôm vàng, lấy ra.
Trình bày:
- Dọn tôm ra dĩa xà lách; xung quanh là cà chua + dưa leo thái mỏng. Chấm tương xí muội.

151

10.一緒に仕事をしていたニョー先生のレシピ本。ベトナム語で先生とやりとりをしながら本に書き込んで、レシピ作成の準備をすることも。写真のレシピはエビの青米フライ

らある伝統的な料理は決まった作り方があるけれど、『正しいレシピよりもおいしいレシピ』と話した先生の言葉も印象的で。正しいことはもちろん大事だけれど、正しさを求めて凝り固まって、おいしさをおざなりにしてしまったら元も子もない。ベトナム料理は特に、ハーブをたくさん使うので、ハーブに親しみがあまりない日本人に、どう教えるか、どうおいしく食べてもらうかは、先生方の考え方が大きく出るところでした」

正しさを求めなければ、郷土料理は次第に姿が変わっていってしまうだろうから、その見極めは難しいだろう。

「現地の味という言葉はよく使いますが、日本でも家庭ごとにお味噌汁の濃さが全く違うことがあるように、ベトナムでも家や店ごとに味が違う。食材をどこで仕入れるかでも変わる。そう思うと『これが現地の味』と定義することに難しさを感じていて。正しいかどうかよりも、その時、その場にいる人たちがおいしく食べられるかどうかが、一番重要な気がします」

スペアリブのお粥にカインチュア、ココナッツ蒸しご飯……いくつもの料理のレシピを翻訳した。

料理学校といえば、学校が作ったレシピをもとに先生が教えるということも多いそうだが、ユキさんは同じメニューでも、先生が違えば毎回一から翻訳し直す。小さな違いを統一せずに、日本人の生徒へと伝えることに注力した。

「ベトナム料理は、ライスペーパーを使って、卓上で巻いて食べる料理が結構あるんですね。ハーブも枝ごとどさっと食卓の上に出して、好きな分だけちぎってのせる。街中を歩いていても『巻いて、食べて、しゃべって、笑う』まさにその言葉がぴったりな光景をよく目にしました。日本でもないことはないのだけれど、ベトナムでは当たり前に浸透している『食べる』姿だなと思う。あと、ベトナム料理は出てきたものに自分で卓上の調味料を使ってアレンジできますよね。大勢で楽しく味わっているけれど、実はそれぞれ食べているものが少しずつ違う可能性がある食卓というのも、すごくいいなと思います」

料理教室で働く10年間はあっという間に過ぎていった。その間ユキさんは二人目の出産や離婚を経ている。15年というベトナムの歳月を経て、日本での暮らしを２０１４年に再開させた。

「帰国後もベトナム料理に関わる仕事をしようと思っていましたが、飲食店をやりたいとは思ってなくて。ベトナム料理を食べたことがある人もない人も含め、いろいろな背景の人が、一つの場に集まって、一緒に料理を作る。その過程で共通する考え方や違いを感じ、思いを交換する。そんなワークショップのようなことをしたいと思いました」

11.通称「帽子鍋」と呼ばれる花鍋。野菜として食べる花の鍋は華やかで南国らしい。見た目だけでなく、味も美味

屋号は「ベトナム料理研究所」。ベトナム料理を学ぶことが目的ではなく、その場で何かが起きる実験の場のような料理教室を目指している。それに終わらず食事会の開催や、間借り営業でベトナム料理を出す。

「わかりやすいように教室と言っていますが、私自身ベトナム料理を教える先生というよりも、こういうやり方・考え方がありますというのをシェアしているような感覚」と言う。思考や考え方を交換する場であるために、参加者も固定化せずに毎回募集する。自分自身のレシピも完成形を決めずに、作るたびにじわじわとマイナーチェンジを繰り返している。それは研究であるようで表現とも言える。レシピは自分自身を語る手段になる。

「最近はベトナム人や中国人、台湾人の学生さん、マカオからの人も来てくれて、まさに思い描いていたような、いろんな背景の人が集う場になってきました」

現地で料理教室に関わり、十人十色のレシピを見てきた。ユキさんは今、心のなかにあるものを共有する方法として、「料理のある場」を開いている。

Lớp học nấu ăn

12.日本での初期のベトナム料理レッスン風景。「研究所」であるため、ベトナムのテーラーさんに白衣をチャイナボタン仕様にして作ってもらったそう　13.ハノイの魚のディル炒め。「現地のように、ハーブを野菜のようにたっぷりと使いたい」と畑を借りてハーブを育てたり、試行錯誤を重ね今がある

★

Recipes from the trip

Cháo sườn non thịt heo bằm

ユキさんの思い出のレシピ

スペアリブと豚ひき肉のお粥

【材 料】約4人分

- 米（インディカ米がよい）…150g
- スペアリブ…400g
- 豚ひき肉…120g
- 生姜…1片
- 細ネギ（小口切り）…3−4本
- 玉ねぎ（小）（横半分に切り薄切り）…1/2個
- 大葉…4枚
- 赤わけぎ（薄切り、あれば）…3個
- ニンニク（みじん切り）…小さじ1
- もやし…1/2袋
- ヌクマム…小さじ2と1/2
- 唐辛子（生、輪切り）…1本
- すだち（レモン）…お好みで
- 塩…適宜
- 胡椒…適宜
- 砂糖…小さじ1/2
- 水…1.5ℓ
- 油…小さじ1

【作り方】

1.スペアリブに塩・胡椒各少々をまぶし、少量の油（分量外）を入れた鍋で両面が色づくまで焼く。生姜の半量を潰し、水と一緒に入れる。沸騰したらアクをとって火を弱める。

2.洗った米の水気を切り、フライパンに入れて弱火で色づかないように煎る。1の鍋に入れて、粥状になるように中火で45分コトコト炊く。

3.残りの生姜をせん切りにし、もやしはさっと茹でる。

4.豚ひき肉にニンニク、塩・胡椒（各少々）、砂糖、ヌクマム（小さじ1/2）をまぶして10分ほどおき、下味をつける。

5.フライパンに油を入れて、**4**を中火でぽろぽろになるように炒める。途中、水（大さじ1程度、分量外）を入れて火が通るまで加熱し、味見して味を調える。

6.赤わけぎを油（分量外）できつね色になるように揚げる。

7.お粥に塩ひとつまみ、ヌクマム（小さじ2）、砂糖少々（分量外）を入れて味をつける。味見をして調える。

8.器にお粥を盛り付けて、スペアリブ、**4**、生姜、細ネギ、玉ねぎ、手でちぎった大葉、もやし、ひきたての胡椒、**6**をトッピングする。

9.ヌクマム（分量外・お好みの量）、すだち（またはレモン）、唐辛子を別皿に添えて、できあがり。

※ひき肉は、切り落とし肉などを自分で包丁で叩き、荒めのミンチ肉にすると、よりおいしい。

04 TAIWAN

人生を新たな道へと導く料理

小部屋莉婷子 りてこさん【台湾を巡る】

delicious and cute
好吃又可愛

まるで台湾のおばあちゃんや親戚の家を訪ねたような懐かしい空気が流れる「小部屋莉婷子」

おいしさに感動すると、
もっと知りたい、学びたい、
追及したいという気持ちが出てくる

都内某所に住所非公開、不定休で開く「小部屋《こべや》莉婷子《りてこ》」。台湾の朝食・プレートランチ・台湾の家庭料理コースの提供や、不定期でイベントを開催している予約制の空間だ。店というよりも友達の家に遊びに来たような感覚に親しみと安らぎを感じる。

「お客さんはもちろん台湾料理を食べることを一番の目的にして来てくれてますが、みんな自然と滞在時間が長くなって、だんだんお悩み相談室みたいになるんです（笑）。これからどうしようって人生相談が始まる。私自身、ここのおかあさんみたいな感覚でやっているのかな?!」

01.小部屋内にはりてこさんが買い付けた台湾雑貨も並ぶ 02.［小部屋莉婷子］で提供している季節の台湾ランチプレート

そう語る店主のりてこさんは、2021年にこの場所で「小部屋莉婷子」をオープンした。

生まれは台湾。でも6歳の時に日本へ訪れ、以来ずっと日本での暮らしが続いている。

「父が日本が大好きで、留学するために母と二人で日本へ引っ越したのがはじまりでした。私は3人兄弟なのですが、子どもはみんな台湾に残って祖父母と暮らしていたんです。そのあと、父と母に会いに日本へ旅行をしたことを機に、ずっと日本に住んでいます」

初めて訪れた日本は、極寒の冬。台湾では目にしたことがなかった雪が舞っていた。寒さに耐えられず、帰国日に「家の外に出たくない」とごねる子どもたち。ともに旅行をしていた祖父だけ台湾への帰路に着き、りてこさんたちは日本へ残ることとなった。その後、無事滞在許可がおり、家族揃っての日本の暮らしが始まった。

アイデンティティやルーツという言葉を聞くと、生まれた土地や血のつながり、国籍などを意識するけれど、果たしてそれだけが大切なことなのだろうか。りてこさんの話を聞いていると、「自分が何人なのか」とい

Mom's home cooking
媽媽的家常菜

03.日本に来たばかりの頃。おかあさんと3兄弟で
04.おかあさんの手料理が次々と並ぶ食卓

うことを、わかりやすい情報だけで捉えることにちいさな違和感を覚える。もちろん、りてこさんの生まれを思えば「台湾人」である。けれど、日本に来てから13年間一度も台湾へ帰ったことがなく、習慣や服装、流行など日々の出来事は日本で培われたものだった。

「子どもの頃は、台湾と日本それぞれの国を意識したことがなかったので、自分が毎日食べている母の料理が台湾料理だと気づかなかったんです。友達の家庭も私と同じように、朝から青菜のニンニク炒めを食べたり、お粥を食べたりすると思っていました。オムレツやハンバーグ、パスタと同じように、家庭料理の一つだと思っていたんです」

いつも食べている料理が台湾料理だと気づいたのは、好きな料理の仕事をしたいと考えた時だった。カフェをやっている友達が「ここで料理を出してみたら?」と提案してくれたことがきっかけだ。

「何の料理が得意?と聞かれて、母がよく作ってくれていたメニューかなと答えたら、友人に『それって台湾料理じゃん!』と言われたんですね。当たり前に食べてきたものだったので、言われてみて初めて、あれは台湾料理だったのか!と気づいて」

日々食べていたものを改めて見つめると、そこにはもう一つの国の文化が潜んでいた。りてこさんはそこから、台湾の食文化に初めて興味を持つようになった。

しかし、それは数年前のこと。それまでにさまざまな変遷があった。

6歳にして日本に来たりてこさんは、日本の中華学校に入学。家では台湾語を話し、学校で少しずつ日本語を習った。とはいえ最初の頃は街中に出ても周りが何を話しているのかさっぱりわからなかった。しかしある日テレビを見ていると、突然日本語がわかるようになった。

「アニメの『聖闘士星矢《せいんとせいや》』を見ていたら、ある日突然何を話しているかがわかるようになったんです。感動しましたよ。今は日本語が一番話せるんです」

兄弟とともに中華学校から地元の公立小学校へ転入し、日本での生活は次第に肌に馴染んでいった。

「親戚はたまに日本へ遊びに来てくれていたので、こちらから台湾に帰るきっかけがなかったんですね。日本の生活が心地よかったし、6歳から日本に住んでいるので台湾の記憶よりも日本の思い出や生活のほうがとっくに長くて。19歳の頃友人と旅行で台湾へ行ったのですが、夜市はすごくカルチャーショックでした。今よりもっとディープで夜市の匂いがつらかったし、ご飯もひと口も食べられなかった！　でも台湾おにぎりは別。台湾おにぎりは、揚げパンと高菜、切干大根、肉でんぶ、ピーナッツ粉をもち米で包んだもの。屋台や朝食専門店で買うことが多く、子どもの頃大好きで、甘い豆乳と一緒に食べていたのをよく覚えていて。だから久々に台湾で食べたらとっても懐かしかったです。これこそ私のソウルフードかもしれません。それと感動したことが一つ。台湾の至るところに『50嵐（ウーシーラン）』というドリンクスタンドがあって、そこで飲んだお茶のおいしさは衝撃的でした。金柑檸檬が入った甘みのあるお茶や、タピオカが入ったお茶など本当にたくさんの種類があって、日々親しんでいた日本のお茶とは全然違う世界でした」

台湾は母国ではあるけれど、幼い時の記憶で止まっている。りてこさんにとって台湾への旅は、故郷に帰るというより親戚が暮らしている既知の国へ旅行する。そんな感覚だったのかもしれない。

20代になると、りてこさんはアジア雑貨店で働くように。エスニックテイストにどんどんハマっていき、ぐるぐるのターバンを身につけたりてこさんに憧れるお客さんが続出。接客すると必ず商品が売れた。

「ある日、ものすごくかわいい子たちがお店に入ってきたんですね。もう完璧に仕上がっていて、とってもおしゃれ。話してみたらその子たちは台湾でお店をやっているそうで、日本へ仕入れに来たということでした。そこから仲良くなって、台湾へ遊びに行く約束をしたんです」

その出会いを機に、台湾への往来が始まった。

「当時台湾にはまだフェス文化がなかったので、彼女たちはフェスを開催して台湾に根づかせていきたいと話していました。私はその頃自分でアクセサリーを作っていたので、イベントで出店しないかと、誘ってもらったんです」

最初は彼女たちの店が企画する周年イベントに一人で参加。りてこさんは自分の周りにいる作家の友人たちの作品を持って出店するようになる。いつしかイベント規模はどんどん大きくなり、描いていたようなフェスが実現するようになった。日本からもミュージシャンたちが加わるように。台北や台中など各地で毎年行われる「CAMP de AMIGO」という野外音楽キャンプフェスだ。

「だんだん日本の出店者やミュージシャンが増えてきて。2018年にはOAU、2022年にはチャラン・ポ・ランタンなども参加し盛り上がっていました。初期メンバーだった私が自然とみんなに説明をしたり、通訳のような立ち位置になって、オフの日やフェスが終わった後にみんなをご飯に連れて行ったり。案内するのが楽しくって、ガイドになったら?と言われることもありました。そういうことを繰り返していると、日本の人たちが台湾のどんなところに驚くのか、興味を持つのか、ということが見えるようになって。だんだん私自身も台湾自体に興味を持つようになったんです」

たとえば、台湾の友人や親戚と食事にいくと、円卓いっぱいに料理が出てくる。その量に驚きながらも嬉しそうに食べる友人たち。お腹いっぱいになっ

05.台湾の街並み
06.台湾のフェスで出店の様子

戸外音樂節
MUSIC FESTIVAL

たところで、今度は桶に入った豆花がどんっと出てくる。豆花を食べ終わると、再びおかわりがやってくる。どう頑張っても食べきれなくなった料理は、耐熱ビニールに入れて持ち帰るよう渡される。

「台湾には、みんなでシェアして食べることが楽しいという感覚があるから、いろんなものをたくさん注文するんです。たぶんその感覚は私のなかにもあって。日本の友人たちと台湾で過ごすことで、そういう気づきがあったんです。自分が台湾出身ということを意識するようになりました」

二つの国の価値観や背景を知り行き来するうちに、自然と台湾に関わることが増えていった。知らなかった台湾の物事に出合えば、異国を旅しているような気持ちになるし、台湾語で話せば、急に街の人も親しみ深くなり、兼ねてから知り合いだったような馴染みを感じる。何かに出合うたびに、新しさと馴染み深さがさざなみのように交互にやってくる。

そして、「それって台湾料理じゃない?」と言った友人の言葉が、さらにりてこさんを台湾に近づけた。じゃあ台湾料理ってどんな料理だろう?　好奇心が湧き出てくる。

「調べていくと台湾料理は、誰でも簡単に作れるし気取ってないし、毎日食べても飽きがこない。そして、体にもいいということがわかったんです。それってすごいことですよね。思い返せば台湾にいても日本にいても、家に帰って玄関を開けると『スープできてるから!』と母に言われて。スープを飲むまで遊びに行けなかったんです。『麻油鶏湯』というスープがあるのですが、これは鶏を煮込んだスープ。生姜や台湾米酒、黒胡麻油などを使って作るのですが、鶏肉は絶対に骨付きなんですね。なぜかというと、骨付きは良い出汁が出るだけでなく、血を作るから。生姜で体を温めて血を作ってくれる、そういうスープなんです。体が強くなって疲れも取れる。漢方を学んでみて、台湾料理の食材や調理法は、胃腸や肌、冷え性に良かったりと漢方を気軽に取り入れた効能もあることがわかりました。すごく理に適っている料理だった。それをずっと作り続けてくれていた母に感謝の気持ちでいっぱいになりました」

友人のカフェを週に2回間借りして台湾料理を出すようになった。すると次第に、どこから聞きつけたのか「台湾の話を聞きたい」という人が訪れるようになった。「台湾に行くんですが、おすすめはありますか?」と聞かれることも。以前「ガイドをやった

TAIWAN TRAVEL
台灣旅遊

07.台湾ツアーで夜市を案内。B級グルメやゲームに大人も子ども夢中 08.ツアーで案内した学問の神様の廟 09.［押競満寿］では魯肉飯、豆乳スープ、おかゆなどの朝食もいただけるそう

08

07

09

ら?」と言われた時は、現実的でないと感じたけれど、もしかしたらできるかも……そう、りてこさんの気持ちは変わっていく。

一緒に旅するような感じで、台湾案内が始まった。お客さんをガイドするだけでなく、食材や雑貨も仕入れ、帰国後は料理に活かす。理想の流れが生まれていった。

ある時、代々木八幡で［Little Nap COFFEE STAND］を営む友人から代々木八幡で店をプロデュースすると連絡があった。「みんなで現地で食べた思い出がある台湾料理の店にしたい」と、フードディレクションを任されることに。台湾屋台朝食店［押競満寿《おしくらまんじゅ》］の始まりだ。

友人との会話から始まった、台湾料理を作って出すという生業は、着実に開花していった。

「台湾料理は日本人にも食べやすいという特徴があるけれど、何よりおいしくて。食事は心を開くツールになるのかなって思っています。世代が違っても同じものを食べて同じ感覚になれるし、思い出へタイムスリップだってできる。おいしいものは一番ダイレクトに心に入ってきて体に入るから、心と体の栄養になる」

台湾料理に限らず、たまたま食べたひと皿で心が元気になったという経験をしたことがある人は少なくないはずだ。

「おいしさに感動すると、もっと知りたい、学びたい、追求したいという気持ちが出てくる。するとまた違う道が開けるし、つながりも生まれます。料理を仕事にする前は、好きなものだからこそ仕事にしたら嫌いになってしまうかもしれない、そう思っていたけ

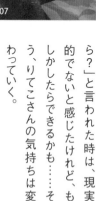

個人熱點 CATERING

烹飪教室 COOKING CLASSES

10.ケータリングでは料理+カラフルなデコレーションを添えて　11.「浮現祭 EMARGE FEST 日本版」にてステージ装飾を担当　12.オレンジページが運営する体験型スタジオ「コトラボ」にて料理教室も行っている

れどそんなことは全然なかった。私は料理だけをしているわけではないので、悪く言えばいろいろなことに片足を突っ込んで中途半端に見えるかもしれません。でも料理があったからこそ、台湾との関わりがもっと深くなっていった。これまで携わってきたことが今、すべて循環しているように感じます」

料理店でもなく雑貨店でもない「小部屋莉婷子」。初めて足を運んでもくつろげてしまうのは、何かに特化した場所なのではなく、暮らしにまつわるものとご飯が待っている家のような空間だからなのではないだろうか。それは、まるで台湾に家族を持ったような、もう一つの家が増えたような感覚だ。

台湾へ頻繁に足を運ぶようになったりてこさんは今、自分の母国をどう考えているのだろうか。答えはとても柔軟なものだった。

「台湾と日本、どっちも異国でどっちも母国」

ある国の料理を手がけることは、その国に恋をし旅することなのではないか?と思ってきたけれど、りてこさんの話を聞いた今、それだけでないとはっきりとわかる。料理はきっと自分自身の人生を旅し、新たな自分と出会う手段でもあるはずだ。

Recipes from the trip

麻油雞湯

りてこさんの思い出のレシピ

麻油鶏湯

(マーヨーチータン)

【材 料】約2〜4人分

- 鶏肉(手羽先、手羽元)…各300g
- 生姜(スライス)…10枚程度
- 出汁…少々(なくてもよい)
- 塩…少々
- 台湾米酒…100〜300cc(お好みで)

※なければ料理酒、日本酒で代用可

- 水…適量
- 黒芝麻油(台湾産胡麻油)…大さじ4

※なければゴマ油で代用可

【作り方】

1.鶏肉を軽く洗い、ペーパーで水気を切る。

2.フライパンに黒芝麻油を入れ、生姜と鶏肉を入れて焼き目がつく程度まで焼く。

3.鍋に**2**を油ごと入れて、台湾米酒と水を、ひたひたより少し上まで入れる。

4.水が沸騰したらアクをとり、蓋をして30分〜1時間ほど中火〜弱火で煮込む。

5.仕上げに出汁、塩をお好みで入れて、できあがり。

※火を止めてそのまま1時間冷ますとさらに味が入る。ネギやジャガイモなど好きな具材を入れてもよい

05 MEXICO

作り手の熱量を感じるひと皿を

around Mexico

メシカ 山口恭子さん【メキシコを巡る】

市場では、サボテンを焼く光景が。街中でもたくさん見られるシーンなのだそう

愛国心がすごいでしょう?
決まりをちゃんと受け継いでいるというか、
守ることが楽しいんだと思います

ポソレにタマレス、チレレジェーノ、モレアマリージョ……その名を聞いて料理がパッと浮かぶ人は、日本にどのぐらいいるだろう？　最近ストリートフードとして、タコスやトルティーヤなどのブームもあり、メキシコ料理は以前よりも身近に感じるけれど、実は私たちが思うよりメキシコ料理はもっともっと奥深い。そう教えてくれたのは和歌山県でメキシコ料理店「メシカ」を営む山口恭子さんだ。

山口さんが料理に、というより飲食業に興味を持ったのは高校生の頃。先輩の紹介で初めてアルバイトをした中華料理店が始まりだった。注文を受け次々と料理を運んでいくスピード感に胸が高鳴り、そこから数々の飲食店で働いてきた。

初めて調理場に入ったのは、全国展開をしている某カフェだった。スイーツのプレート一つをとっても、お客さんへの配慮を込めてデザートの配置が考えられているそのお店。厨房の動線やマニュアルを徹底した環境。週末には多くの人が訪れ、大忙しだった。

「山口さんにとっては何百食作るうちの一食だけど、お客さまにとったら、一日三食のうちの一食だから、そこを忘れずに作ってね」

その言葉は、食事を作るという行為の重大さを意識させるきっかけとなった。

「その後、あるデリカテッセンのセントラルキッチンで、レシピ開発に携わることになったんです。レシピを考えるため、参考にいろいろな国のレシピ本を読むようになったんですね。すると、ある国の料理が驚きの連続で」

手に取ったのは『メキシコ料理大全』というレシピ本。東京の広尾にあるメキシコ料理店「サルシータ」のオーナー・森山光司さんによる一冊だ。

「唐辛子の使い方が衝撃的で。炒めたりするだけでなく昆布のように水に浸して、唐辛子をふやかして、出汁を取って使ったりするんです。あまりに驚いたので「サルシータ」に食べに行ったのですが、料理の幅広さやおいしさにメキシコ料理の概念が覆されました」

ストリートフードの印象から濃い味付けの料理ばかりだと思っていたメキシコ料理。それは大きな間違いで、出汁が効いた奥行きのある味わいに感動を隠せなかった。

「例えばチキンとライムのスープがあるのですが、

鶏肉の出汁を丁寧に取った優しく滋味深い味わいでした。それまでメキシコ料理を食べたことはあったのですが、ジャンクなイメージが強くあまり興味がなかった（笑）。出汁を取って料理するとも思ってなかったので、そこから一気にメキシコ料理にハマっていったんですね」

特に募集はしていなかったけれど、オーナーの森山さんへ働きたいと志願する。

「森山さんはもともとアメリカのレストランで働いていたのですが、そこからメキシコに行くようになって、現地の料理店で経験を積んだ方でした。今もですが、当時はもっと日本でメキシコ料理の情報が少ない頃。後からわかったのですが、『メキシコ料理大全』も、メキシコ料理を生業にする人にとってバイブルのような本だったんです。森山さんが現地で年月をかけて勉強してきたものが日本に広まった。生きる教科書のようやなって」

厨房に並ぶ大量のサボテンや現地の調理器具など、何もかもに興味が注がれる。

「森山さんのお店で働いていなかったら、「メシカ」を開きたいと思わなかったかもしれません。森山さんは何に対しても一から全部やりたいというタイプで、私もそこが一致していて。メキシコ料理は、はしょってしまってもいいような工程がたくさんあるんですよ。例えばポソレというジャイアントコーンと豚骨のスープがあって、コーンの発芽部分を一つひとつ手で取っていくんですね。しなくてもいいのですが、取ることによって、茹でた時にポップコーンのように実が弾ける。現地では弾けているポソレがいいポソレと言われているそうなんです。そういう一つひ

01.主にサルサソースに使われるハバネロ。メキシコでは乾燥唐辛子も合わせると、唐辛子は100種にのぼるという話も

とつの小さな工程に、『はしょっても良さそうなことをわざわざするなんて、なんてかわいいんだろう！』と、どんどん好きになっていきました」

「サルシータ」が縁となって、メキシコ料理とその国自体に好奇心が芽生えた山口さん。そこからメキシコと名のつくものを、どんどん求めるようになった。

「ある小説のなかに、ソースを作る場面があったんですね。そこには『自分が怒っている時はソースが辛くなるもの』とか『うまくタマレスに火が通らない時は歌を歌ってタマレスをなだめる』と書いてあって。彼らは料理を意思があるものとして捉えているのかなって、そこからますます好きになって。会ったことのない人をめっちゃ好きになるみたいな感覚で、私の頭のなかはメキシコで一色になりました（笑）」

1年ほど働いた頃、山口さんは自分の店の準備に取り掛かりたいと思うようになった。このまま東京で店を開くか地元・和歌山県へ戻るか。迷った時に知ったのが、和歌山県はメキシコのシナロア州

02.サルシータの店主・森山さんと先輩（上）、山口さん（下） 03.シナロア州クリアカンのレストラン 04.コロニアル建築が残るグアナフォトの夜景

¡Vamos a México!

の姉妹都市だということ。縁を感じた山口さんは、和歌山県での開店を決意する。ここまで「サルシータ」でさまざまなメニューを見てきた山口さんだが、メキシコ料理の知識と技術を上げるために足りてないことは「現地に行くこと」だと感じた。

「その国の空気や人たちに触れて体感しないと、一つの料理を出しても重みが違うように思うんです。現地を知らない限り、おいしい料理だったとしてもお客さんにあまり強くおすすめできない」

２０１６年、山口さんは初めてメキシコへ向かった。

実はこれが初めての海外旅行。そしてメキシコへ３ヶ月の一人旅。オアハカやグアナフォトなど回りたい観光地をピックアップする。森山さんの知人・リリアさんの家へ泊めてもらうことになり、首都メキシコシティの北東部に位置する世界遺産テオティワカンの近くの町、オホ・デ・アグアへ向かった。

「リリアさんに、郷土料理のタマレスを作るところを見せてほしいとお願いしたら、知り合いのおばあちゃんを紹介してくれて。作り方は「サルシータ」で学んだのですが、実際に現地でどんな風に作っていくのか見てみたかったんですね。郷土料理とは聞いていたけれど、現在どのように食べられているのかも知りたかった」

親戚が集まればおばあちゃんが大量に作るタマレスは、都会ではもうほとんど作られてはないのでは？と山口さんは語った。それを「日本のおはぎ

¡Hagámoslo sabroso!

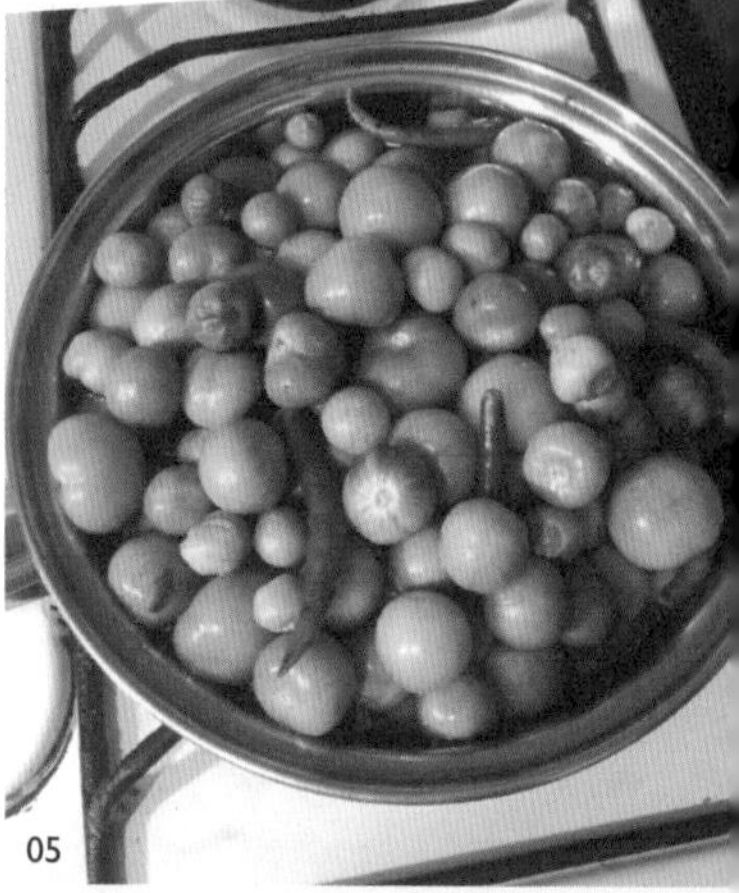
05

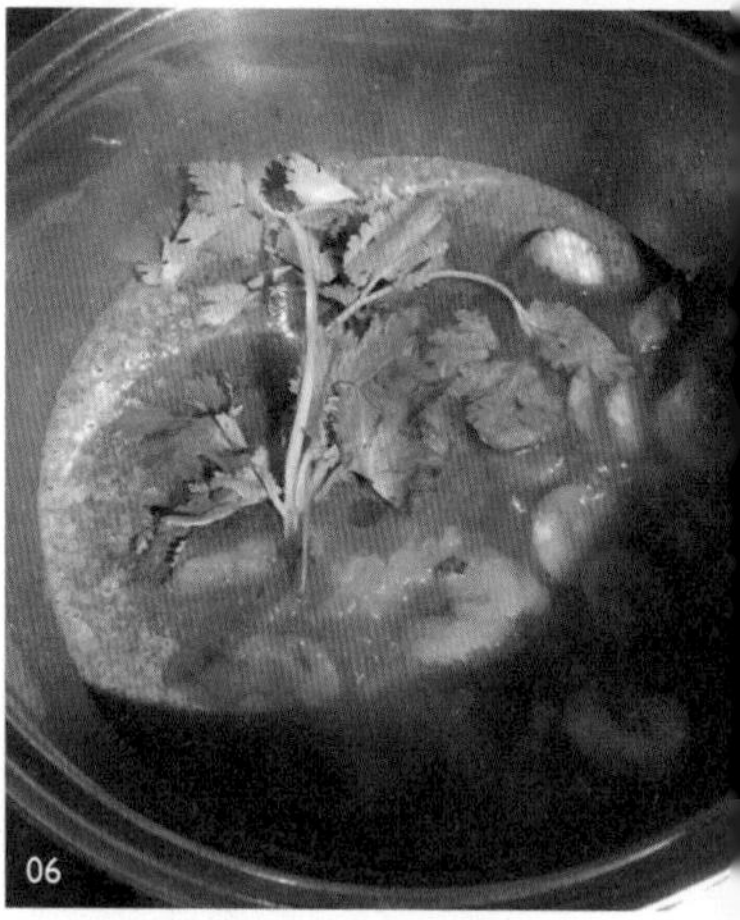
06

05.食用ホオズキ（トマトティージョ）と青唐辛子　06.パクチーとバナナを使って。メキシコでは料理にバナナをよく使うそう

07.市場の魚屋さん。市場は肉、チーズ、乾物など細かく店が分かれ、一般家庭から料理人まで幅広く通う 08.カボチャの種を使うピピアン・ベルデ 09.唐辛子をベースにチョコレートなどを使うモレ・ポブラーノ 10.豚肉の入ったタコス・アル・パストール

のような存在」と話す。

「街中を歩いているとタマレス売りがいるんです。一つから買うことができて、わざわざ家で作る必要がない。チマキのような料理でトウモロコシ粉の生地・マサとラードをこねて中に鶏肉を入れる。それをトウモロコシの皮で包む。南部ではバナナの葉を使うようです。家庭によって作り方は少しずつ違うのですが、ここのおばあちゃんは生地をこねる時に水でなく鶏の出汁を使っていて。家庭で見

La comida mexicana es profunda

Cocinar con cuidado

山口さんの想いが詰まった［メシカ］の料理。11.チョリソのタコス、きのこのタコス、カルニータのタコス　12.ポソレ・ブランコを手がける様子

せてもらうことで、そういう違いに出合うことができました」

他にもチレス・エン・ノガータ（唐辛子の肉詰め）など、いくつかの料理を教えてもらう。

「チレス・エン・ノガータは、りんごやバナナとひき肉を炒めて唐辛子に詰めて、くるみのクリームソースをかけるんですね。独立記念日の前日から食べられる料理なのですが、国旗のカラーである赤、白、緑の配色が重要なんです。メキシコ料理はわりとこの3色を意識したものが多く、愛国心がすごいでしょう？　決まりをちゃんと受け継いでいるというか、守ることが楽しいんだと思います」

メキシコ料理を語る山口さんは、表情にも言葉にもエネルギーが満ち溢れている。

「食という視点で見ると、メキシコはすごく活気を感じます。食べることに対して楽しんでお金を使っているような。特に田舎では日曜日は昼から家族で集まって、2〜3時間かけてレストランで食事をするんです。13時ぐらいのレストランはパンパンですよ。意外と外食文化なのかもしれません」

街中には屋台が立ち並び、常にあちこちで何かを食べている人たちの姿。警察官だって仕事をしながらタコスや菓子、アイスを食べている。食べることは楽しいこと、そう自然と思わせてくれる国は、人々のちょっとした喜びで溢れているようだ。

２０１７年、山口さんは［メシカ］をオープンさせた。「メキシコ料理はタコスだけじゃないというのをわかってもらいたくて」と、モレ料理などさまざまなものを出す。最初はタコス以外の料理を地元の人にわかってもらうことに苦戦したが、メニューの書き方や接客の工夫を重ね、今では年配の人もメキシコ料理を食すように。大阪や名古屋、東京など県外のお客さんの姿もある。

「おいしいって作り手の感情が入っているかどうか。私の料理を食べてくれた人が帰る時に『メシカでご飯を食べたら元気になるんよ』って言ってくださることがあって。それって私が注いだ熱量を食べてくれてるんやなと思うんです。料理って手を抜いた瞬間、食べた人にもわかると思うんですね。手を抜いていない料理には愛情がある。喜怒哀楽が感じられるのが料理なんだと思います」

あのメキシコの小説に書かれていたような言葉を、今山口さんは自然と発している。

細かい決まりやこだわりを受け継ぐメキシコ料理だが、最近郷土料理はレストランで食べるものになってきているのでは、と山口さんは語った。ではメニューに選ばれなかった小さな郷土料理はこれからどうなるのだろう？　そんなとりこぼされてしまいそうなひと皿を、ぜひ山口さんに掬いとってほしいと思うのは、私たち食べ手のわがままだろうか。

¡Bienvenidos!

13.以前は35年続いていた喫茶店だった［メシカ］。その雰囲気とメキシコのテイストが心地よく混ざる空間に

Recipes from the trip

Pozole blanco

山口恭子さんの思い出のレシピ

ポソレ・ブランコ

【材 料】約5人分

- ・豚肩ロース…500g
- ・豚背ガラ…500g
- ・豚足…2本
- ・玉ねぎ(ざく切り)…1個
- ・玉ねぎ(みじん切り)…お好みで
- ・レタス…お好みで
- ・ラディッシュ…お好みで
- ・ジャイアントコーン水煮缶…1/2缶
- ・ニンニク…1片
- ・ローリエ…2枚
- ・オレガノ…お好みで
- ・ライム…お好みで
- ・塩…10g

【下準備】

1.豚肩ロースに塩を揉み込み、二晩置く。

【作り方】

1.豚背ガラ、豚足、豚肩ロース3分の1、ニンニク、玉ねぎ、ローリエを鍋に入れ、浸るくらいの水を入れて中火にかける。

2.アクが出てきたらアクを取りながら、弱火で約2時間煮込む。

3.豚足を取り出し、残りの豚肩ロースを入れ弱火で約1時間煮込む。

4.豚肩ロースを取り出し、残りを漉し器で漉す。

5.豚肩ロースを5cm角に切る。漉したスープに豚肩ロースと水切りをしたジャイアントコーンを入れ再び弱火で約30分煮込む。

6.仕上げにオレガノ、ライム、足りなければ分量外の塩を入れる。

7.千切りレタス、みじん切りした玉ねぎ、スライスラディッシュをトッピングしたら、できあがり。お好みでアボカドを入れてもおいしい。

06 AROUND THE WORLD

生きた証を受け継ぐ料理

travel Around the World

TABEBITO 世界のご飯のケータリング

石原理恵さん【世界のあっちこっちを巡る】

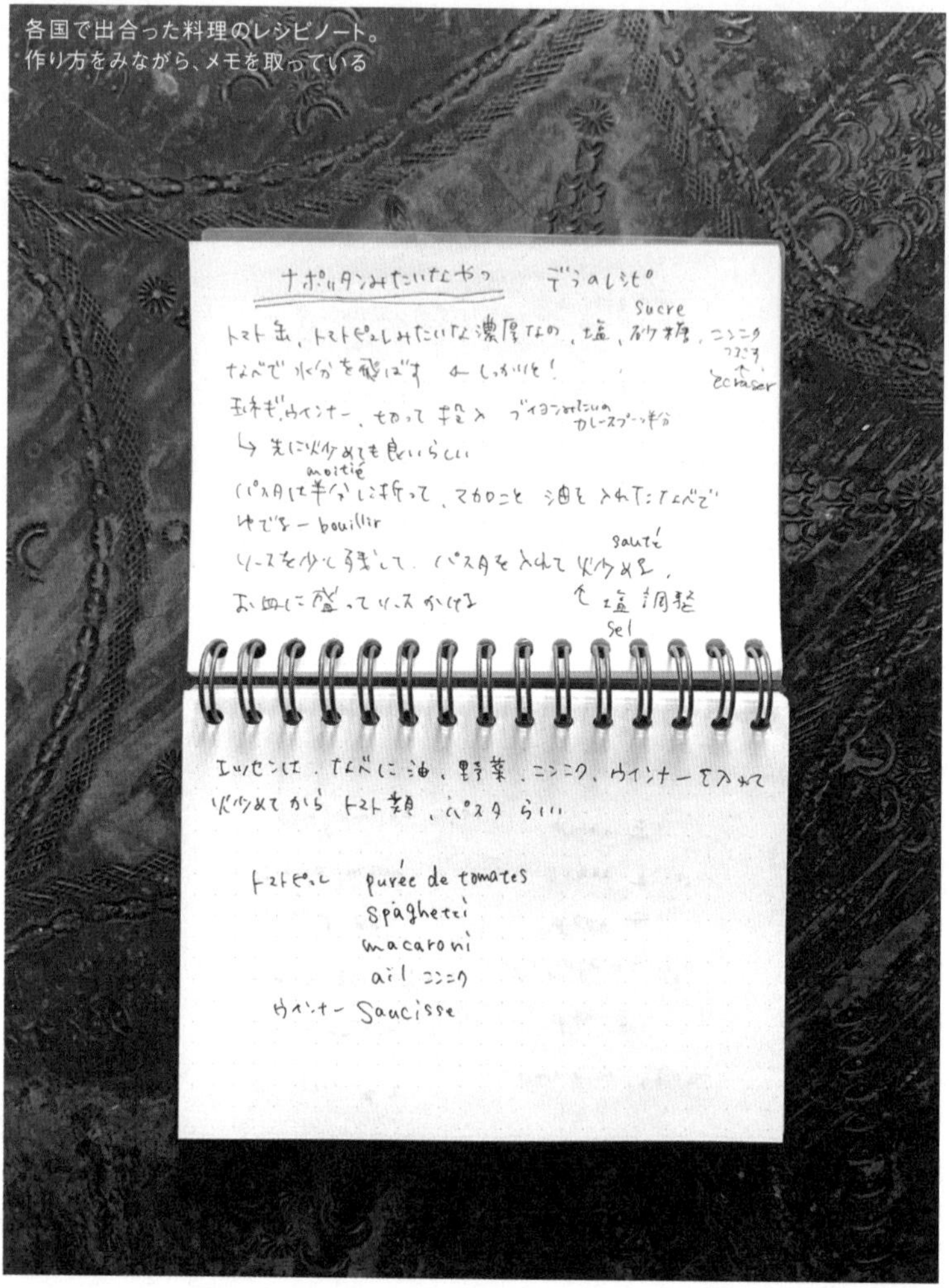

各国で出合った料理のレシピノート。
作り方をみながら、メモを取っている

ある国のあるおかあさんの料理を
手がけるという気持ちで

魯肉飯やカオマンガイ、バインミー、生春巻き、ビリヤニ、カレー……世界のいろいろな国で出合った家庭料理を届ける［TABEBITO］。74カ国旅して回った石原理恵さんによる、ケータリングだ。その巡り歩いた国数からも察するように、彼女の料理における活動は旅が原点にある。

「小学校低学年の頃、芸術家の叔父の家に遊びに行ったんです。本棚にあった写真集を手に取ると、それは世界を旅した写真家の一冊でした。いろいろな国が出てくるのですが、なぜかタイのバンコクにあるカオサンロードに強烈に引き寄せられて、ずっと忘れられなくて。高校生になってアルバイトの給料を貯めて、旅に出てみることにしたんです。行き先は、もちろん記憶に残っていたカオサンロード。『学校で必要な書類だからサインして』と、おじいちゃんに嘘をついて（笑）、航空券を買いました」

高校1年生の夏休み、とにかく一番安いチケットを探して飛行機に飛び乗った。家族にも行き先を告げず、タイへ向かう。その行動だけでも驚きだが、さらに驚くのは、旅に出るのが初めてだけど下調べも何もせず、飛び出していったことだ。

「そもそもタイにタイ語があるということも思いつかなかった。みんな英語を話すと思っていたんです（笑）。だから現地に着いたら言葉も通じないし、カオサンロードへの行き方もわからないし……ひとまずタクシーに乗ってみたんですが、行き先が通じたのかどうかもわからないまま発車して。到着したところはすごく暗くて汚い、ゲストハウス。窓には鉄格子がつけられていて……『そこに泊まれ』と言われたみたいで、えっ私拉致されたの!?って（笑）。その晩は怖くて一睡もできず、夜通し泣いてました」

ประเทศไทย

แผงลอยถนนข้าวสาร

01.初めて行ったタイで。カオサンロードの屋台を歩く

朝になって、英語をわかる人が連れてこられ事情を話す。するとそこはタクシー運転手の親戚のゲストハウスだったのだ。石原さんがあまりにも幼く見えたこと、言葉もわからない状態で一人でカオサンロードに向かうことを心配してくれて、親戚のゲストハウスへ連れてきたという。旅行者だと説明して理解を得た石原さんは、無事運転手のおじさんにカオサンロードへと連れていってもらう。

「本当に最初の3日間は辛かったですね。はやく帰りたいと思ったけど、航空券は1ヶ月後の帰国日で、日付を変更できなかったのでここで過ごすしかなかった。3日目に家に電話してみたら祖父が電話に出て『どこにいるんだ!』と。『1ヶ月タイという国を旅してる』と言ったら、すっごく怒られました(笑)。うちは母子家庭だったので母は仕事が忙しく私がいなくても『友達の家にいるのかな?』ぐらいに思っていたみたいです(笑)。それから、ゲストハウスでオーストラリア人のカップルと仲良くなって、チェンマイ行きに誘ってもらって一緒にチェンマイへ。貧乏旅行だったから欲しいものは一切買えなかったけれど、新鮮で楽しくって、最後にはもう帰りたくない!という気持ちでいっぱい。そんな初めての旅でした」

旅の予算に限界があった石原さんが、お土産にと買って帰ったのが、スパイスや調味料だった。もともと料理好きではなかったけれど、食べることは大好きだった石原さん。タイの食堂でおいしいご飯と出合ったら、日本でも食べたいという気持ちが湧き「これどうやって作るの?」と自然と聞いていた。日本語とタイ語で会話が繰り広げられていく。

「おかあさんって、世界中どこに行っても優しいんだなって。言葉は通じなかったけれど『うちに来なさい』とか『見てなさい』という感じで、身振り手振りで教えてくれて、一生懸命日記にメモしました。それで帰国して最初に作ったのがパッタイです。おかあさんも喜んで食べてくれました」

旅の経験が、石原さんを料理好きへと変えていった。

「日本の料理って、お湯で出汁を取るという考え方が軸にあるけれど、海外の料理は油に香りづけする考え方が多くて、日本と全然違うんだなって。調理器具の使い方もさまざまだし、なんならフォークで潰したりスプーンで炒めたり、自由!それが結構衝撃だったし、料理っておもしろい、そう思うきっかけだったと思います」

02.03.高校3年生で初めてのヨーロッパ、初めてのパリへ。物価に驚き、パンとリンゴで過ごす日々が続いた

Première fois en Europe...
Première fois à Paris...
un pain et une pommes...

石原さんは長期休みのたびに旅を重ね、自分のなかで旅のルールができた。たとえば車体がボコボコすぎるタクシーは運転が荒いから乗らない、装飾が派手なタクシーは料金をぼっている可能性が高いから乗らない。全く情報や知識がないところから始まったからこそ、旅の眼が養われていった。

「初めて旅をした時に怖いと思った感覚は、自由であるということが怖かったんだと思います。朝起きて何を食べるかも、1日どう過ごすかも決まってないし、誰も決めてくれない。最初はそこにすごくワクワクしていたけれど、行き先を決めたら、そこに行くまでの方法も全て自分で得ないといけない。でも突然隣のミャンマーに行くことだってできるし自分次第で全てが決まる。そう思うと、すごく大きな地球儀の上に自分がポンって立っているように思えた。ワクワクと恐怖を同時に学ぶということが、高校生の私にとってすごく楽しいことだったんです」

旅先のゲストハウスで出会った人たちから受け継いだガイドブックを持って各地へ渡る。時には「一筆書きで移動する」など、ルールを決めて。時にはスタートとゴールの国だけを決めて。広い世界に自分の軌跡を残していく。


ある時期魅了されたのはアフリカの国々。モロッコから入り、西サハラ、モーリタニア、セネガル、ガンビア、マリ、ギニア……そしてカメルーンまで大陸の西側を移動した。トーゴでは友人の事業を手伝うこととなり、8ヶ月暮らしたそう。トーゴの一般家庭は井戸を中心に囲まれた住居に、10家族ほどが集まって暮らす。料理や洗濯は、一つの場所に集まってみんなで行う。台所は中庭で。日本とは全く違う生活に入り込んでいった。

05

04

La table à manger au Togo.

「屋外で料理するって実は理にかなっていて、揚げ物とかをしても後片付けが楽。私は今も、唐揚げとかを揚げる時は家の庭でやったりしています。あとおもしろかったのが、トーゴで想像もしてなかった料理に出合ったこと」

それは、日本生まれと言われるナポリタンとそっくりなひと皿だった。

「ケチャップでなくトマトペーストやトマト缶を使って作るのですが、ウィンナーや玉ねぎなどが入っていてまさに日本のナポリタン。おいしいんです。あと、トマトと肉や魚、バナナなど食材を煮込んだ料理を盛り付けたリソースというプレートもあって。生活して3日目に気づいたのですが、みんな食事はほぼ毎日リソースを食べていました」

トマト煮込みにパスタかパン、米、フフを合わせて食べる。頭の上に鍋やプレートを乗せて売り歩く「リソース売り」もいて、売る人によって煮込む食材が変わるのだそう。

「トーゴはもともとフランスの植民地だったので、食にもその影響があるのかもしれませんが、私が暮らした家やその周りで食べられている料理はリソースばかりだったんです。おいしいのですが、さすがに毎日は飽きてしまって（笑）。みんなの姿を見ていると、食事は空腹を満たす行為なのであって、おいしいものを食べたいという欲求はあまりないように感じました。私が料理をしてみんなに食べてもらったこともあったのですが『おいしいけどリソースでいいわ』っていう感じで。ハングリー精神があんまりないと言え

04.トーゴのナポリタン　05一般家庭のおもてなしの食卓。白いフフに肉のトマト煮込み、ナポリタンなど。これらをワンプレートに盛りつけたものをリソースという　06リソース売りのお姉さんのもとへ、お皿を持って買いに行く

06

ばいいのか……でもこれは食に限ったことではないのかもしれません。たとえば移動したくてもバスを運行する最低人数が集まるまで気長に3日待つことが普通だったりと、合理性や工夫を追い求めることを美とする考え方ではないのかもしれないですね」

旅先の出会いがきっかけとなり空間プロデュース業の会社で働くようになった。3ヶ月働き2ヶ月旅というようなプロジェクト単位で働ける仕事だったこともあり、石原さんはまだまだ旅を続けていく。そして2012年、石原さんはロースイーツ専門店でパティシエとして働き始めた。

「ロースイーツは製造方法に制約が多く、決められた食材や調理方法でしか作れないんですね。不自由さのなかで作ることが楽しかったです。しばらくして『実は私、料理も好きなんです』とオーナーに話したところ、『それなら、それも仕事にしたほうがいいんじゃない?』とすすめられ、[TABEBITO]を始めることになったんです」

74カ国を旅し食べ歩いた石原さんが、料理を生業にしようと選んだのは自然と、今まで各地で見てきた家庭料理だった。

「レストランで食べる料理はおいしいし、そういう特別なひと皿には劣るかもしれないけれど、家庭料理は『ああ、帰ってきたな』と安心できるような味わいがあると思うんです。それは心を手当してくれるような味わい」

料理は物理的に栄養を補給するだけでなく、明日への活力をくれることもあるし、安らぎをくれることもある。もしかしたらそれは家庭料理のほうが、なお強いのかもしれない。「おかあさん」という眼に見える作り手が、「私」のために手を動かし作ってくれたものだから。

「以前北欧を旅した時に、ノルウェーの物価が高すぎて毎日パンしか食べられなかったことがあって。それまでの旅の疲れも重なり体に湿疹ができ膿んできてしまい、大変なことに。ここよりは物価が安いかもと思って、最後の目的地だったフィンランドに早々に移動しました。でもホテルが高かったので、ヘルシンキ中央駅で寝袋で野宿することに。朝起きてみると、枕元にりんごとパンが、お供えのように置いてあったんですね。誰だかわからなかったけどすごく嬉しかった。翌朝も同じように、りんごとパンが置いてあったので食べていたら、おばあちゃんがやってきて『あ

Suomessa

MUKAVA TAPAAMINEN

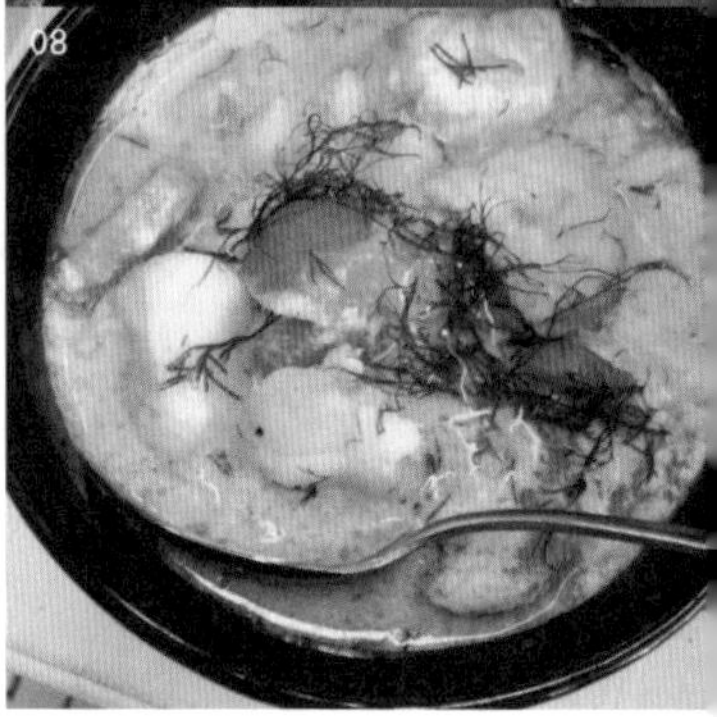

07. 08. フィンランドで助けてくれたアネット・オラブさんと彼女が作ってくれた、忘れられないスープ

なた本当に酷い状態だから、ついてきなさい！』って。食料を置いてくれていたのは彼女だったんです。フィンランド語はわからなかったけれど、家に招いてスープを作ってくれて。そのスープにすごく癒されました。初めて会った方だし彼女とは文化や背景につながりもない。それでも料理を通してこうやってダイレクトに優しさが伝わるんだという体験は自分にとって大きな出来事でした。家庭料理の偉大さを確信したというか。そこから1週間家に泊まらせてもらって帰国しました。もう彼女は亡くなってしまったのですが、そのあとも2回ほど会いに行きました」

　料理には結構助けられてきたかもしれない、石原さんはそう呟いた。

「誰かから学んだ料理を作ることは、その人のことを反復して感じる行為だと思う。去年母が亡くなったので、余計そう思いますね。もちろん今作っている料理は、ほぼ母から教わったものではないですが、たとえば塩の塩梅だったり野菜の切り方だったり、そういう節々に母から教わったものが自分のものとして残っていて。母が作ったものを食べてきたからこそある自分のベースだと思います。だから料理ってすごく大切な文化なのかなって」

　眼に見えることだけでなく感覚的なことを受け継ぐのが料理だとしたら、それは教えてくれた人と教わった人、作る人と食べる人の間で魂を共有することのように思う。

「たとえば料理を教わったAさんがいつか他界しても、その料理を知っている家族や私がまだこの世界にいるというだけで、なんだかすごく生きている意味があるように思える。教わった家庭料理を大きく残していきたいとは思わないけれど、そうやって誰かの料理を受け継いで作っていく楽しみというのがあって、私は家庭料理を選んでいます。だからある国の料理を手がけるというよりも、ある国のあるおかあさんの料理を手がけるという気持ちでやっています。同じ料理名でも家によってレシピが微妙に違って、そこもおもしろくて。たとえばタイでカオマンガイを教えてもらったのですが、おかあさんによってタレが全然違う味わいでした」

カオマンガイ一つを例にとっても、数えきれない家庭の歴史が見えてくるはずだ。

「誰かに食べてもらって『わっ、おいしい!!』と言ってもらえるだけで、寝不足も疲れも吹っ飛ぶぐらい嬉しいんです。それってなぜなんだろう?と考えたのですが、女性として子どもを産んで育てることで埋まる感情がもし誰にでもあるとしたら、私は子どもがいないのでその感情を代わりに料理で埋めているのかもしれません」

各地のおかあさんたちに思いを馳せながら教わったレシピをもとに、おかあさんから料理を作る。時には一人のおかあさん、時には何人ものおかあさんをミックスさせた彼女のメニューは、ひと皿の中でさまざまな人との記憶や思い出が散りばめられたちいさな宝石箱のようだ。

「おいしいと思えることは、その料理を通してつながること。心にも身体にも、人にもどこかにも。そして明日にも過去にも、つながっていくものです」

今日私たちは何を食べ、誰と、どことつながろう?その人が生きた証を受け継いでいくという、ちいさくも尊い料理の魅力を、今一度見直してみたい。

09.ある日の撮影現場へのケータリング。ホームパーティをテーマに食事を用意したそう　10.こちらもケータリング用に作った「大人のお子様ランチ」。トーゴのナポリタンをしのばせて

Recipes from the trip

Spaghetti

石原理恵さんの旅のレシピ

トーゴのナポリタン

【材 料】約2人分

- パスタ…200g
- トマト缶…400g
- 玉ねぎ(小)(薄切りスライス)…1/2個
- ウインナー(斜めにスライス)…4本
- ニンニク(みじん切り)…1片
- トマトペースト…大さじ2
- 塩…小さじ1と1/2
- 砂糖…小さじ2
- コンソメ顆粒…小さじ2/3
(マギーコンソメ無添加がおすすめ)
- オリーブオイル…大さじ2

【作り方】

1.フライパンにオリーブオイルとニンニクを入れ、香りがたつまで炒める。玉ねぎとウインナーを入れ炒める。

2.トマト缶、トマトペースト、コンソメ、砂糖、塩の半量を入れ、水分を飛ばすように炒める。

3.好みの酸味、甘味になるまで煮詰めたら、残りの塩を入れて味を調える。

4.鍋にたっぷりのお湯を沸かし、パスタを茹で表示より1分早く取り出す。

5.茹で上がったパスタを**3**に入れて絡めるように炒めて、できあがり。

※茹で卵を入れたり、トマトソースを大さじ3杯ほど取りわけて、盛り付ける時に上からかける。また、パスタの200gのうち30gほどをマカロニにするなどで、より現地のひと皿に近づく

07 SWEDEN

live in Sweden

人と人をつなぐ、時と場を作る

FIKAFABRIKEIN 小原愛さん【スウェーデンに暮らす】

街中の至るところで見かけるシナモンロールとカルダモンロール

現地で食べておいしいと感じた喜びは、
そこに行かないと味わえないもの
だからこそ、再現したい

ひと口食べた時、その香りの豊かさや味わいから「現地に行ってみたい」と思わせてくれたパンがある。それは[FIKAFABRIKEIN]のシナモンロールとカルダモンロールだ。部屋中にシナモンやカルダモンの華やかな匂いが立ち込めて、「スウェーデンの街中でも、この香りが漂っているのだろうか」と、現地へと思いを巡らせる。それは、おいしさだけでなく好奇心を味わうようだった。口にして真っ先に「現地でこのパンを食べてみたい」と思うのは、意外にも初めてのことだった。

　オーナーの小原愛さんは早稲田大学を卒業後、スウェーデンのお菓子のお店[FIKAFABRIKEIN]をオープンし、現在は3店舗を経営する。そこだけ聞けば料理人やパティシエというよりは経営者という見え方が強くなるが、原点にはスウェーデンを第二の故郷と思う気持ちがある。その傍にはいつも料理への興味があった。

「母がとても料理上手で、お菓子もよく作ってくれていました。幼稚園から帰ってくると、家中にアップルパイのいい香りがしたのをすごく覚えていて。小さい頃、キッチンは母の場所だったのであまり入れなかったのですが、小学生になってからは休みの日に妹と母と一緒にクッキーを作ったり、レシピ本を見たり、料理が好きな子どもだったと思います。母はもう亡くなってしまったのですが、私も母のように、自分の子どもにはお菓子を作っています」

　小原さんがおかあさんから影響を受けたといえるもう一つのものは、海外との距離感ではないだろうか。学生時代にオーストラリアに留学していたおかあさんは、ホストファミリーと家族ぐるみで交流が続き、娘の小原さんも物心つく前から、ホストファミリーの元へ通っていた。長期休みになると、どちらかの国で家族が集まり、国を超えての交流が当たり前の行事になった。

FIKA

Kanelbulle och café latte

01.[FIKAFABRIKEIN]のシナモンロール。すっきりとした味わいのカフェラテとともに

Svensk
KAFÉKULTUR

「大学3年生の時に交換留学を希望しました。日本にいる頃からカフェが好きだったので、ティータイム文化があるイギリスを志望したんです。でもそこは叶わず……それならあまり生活が想像できない国で暮らしてみたいと調べ直して、直感的にいいなと思ったのがスウェーデンだったんです」

行き先が決まり、大学の留学センターでスウェーデンについて情報を探す。すると現地に行った先輩たちの言葉に頻繁に出てきた言葉が「フィーカ」という言葉だった。調べてみるとコーヒータイムとはあるものの、その正体についていまいちぴんとこないまま、留学は始まった。

受け入れ先は、世界トップ100に入ると言われている名門大学・ルンド大学だ。ルンドはスウェーデンの南部にあり、デンマークのコペンハーゲン空港からオーレスン海峡を渡って電車で40分ほど。迎えに来てくれたルンド大学の学生たちとともに、1年暮らす寮へと向かう。

「ルンド中央駅に降り立った瞬間、街中がシナモンのいい香りに包まれて。スウェーデンって、ベーカリーだけでなく駅の売店には、必ずシナモンロールが売っているんですね。それがルンドの街の最初の思い出です」

留学前に疑問に思っていた言葉「フィーカ」は、スウェーデンで「お茶の時間、お茶をする」を意味する言葉だった。コーヒーを意味するKaffeeがひっくり返ってFikaと言うようになったという説もある。

02

03

04

05

02.ストックホルムで見つけた、思わず入りたくなるカフェの看板 03. ストックホルムの街並み 04. ストックホルムのmariatårgetにて。子どもたちもフィーカ中？ 05.港町のヘルシンボリ

「お茶を飲む時間ではあるのですが、それよりも人と会話をする時間というニュアンスが強い文化なのだと、暮らしていくうちに感じるようになりました。たとえば放課後に友達とフィーカをしたり、大学でグループワークをする前にちょこっとフィーカしたり。いつでもどこでもフィーカをすることが当たり前。日本では『お茶をする』というと友人とわざわざカフェに出かけることが多いと思いますが、スウェーデンのフィーカはもっと日常の一部で、家でコーヒーとお菓子を食べながらおしゃべりする当たり前の行為というか。フィーカを重ねることで人と近くなれるんです。もちろんカフェに行くこともありますが、そこには若い人もおじいちゃんおばあちゃんも来ていて、日本よりもっとカフェが生活の一部のように感じます」

このフィーカで特によく食べられるのがシナモンロールやカルダモンロール、キャロットケーキなのだそう。「日本で食べていたシナモンロールは、アメリカのシナモンロールを踏襲していて甘く、あまり食指が動かなかったのですが、スウェーデンのものはもっとスパイスが効いていておいしかった。香り高いカルダモンロールも大好きになりました」

06.ストックホルムのベーカリー。フィーカでも食べる甘いパンがいっぱい 07.ある日のフィーカ。コーヒーとオーバーナイトオートミールを 08.Mariatårgetのベーカリー。スウェーデンの人は自分の街のベーカリーを愛している 09.この日のフィーカはカルダモンロールと

ある日のフィーカで小原さんが「実はお菓子づくりが好き」と告げると、それ以来スウェーデン人の同級生たちと月1回お菓子づくりをするようになった。今日はシナモンロールの日、今日はセムラの日、今日はキャロットケーキの日……時にはレシピ本やレシピサイトを見て、時には彼らの家庭の味を再現して。食べるだけでなく、スウェーデンのお菓子を作り自分の一部にすることが小原さんの暮らしになっていった。作れるものが増えることで、スウェーデンという国をより深く知ることができた。

帰国後、小原さんは六本木にあるスウェーデン料理のレストランでアルバイトを始める。

「日曜日が定休日だったのでお店を貸してもらって、スウェーデンのお菓子が楽しめるカフェを開くようになったんです。このレストランは大使館へのケータリングなども多かったので、日本在住のスウェーデン人たちと関わりができてきて。留学から帰ってきて、卒業したらスウェーデンに関わる仕事をしたいと思っていたけれどなかなか見つからなかった。でもこうやって活動が広がっていくことで、自分でブランドを立ち上げようと思うようになりました。大学一年生の時に学生だけで経営するカフェ［10°cafe］の立ち上げと運営に携わっていた経験も、オープンの支えになったと思います」

10.生地にカルダモンが入ったセムラ。元はキリスト教の四旬節の前にある懺悔の火曜日に食べられていた伝統菓子で、現在は春を告げるお菓子として、冬に食べられる

２０１３年から小原さんは［FIKAFABRIKEIN］としてイベント出店を続け、２０１７年に東京の豪徳寺に実店舗をオープン。そして２０２１年には２店舗目となるベーカリー［torpet］を鷹の台にオープン。さらに２０２２年に3店舗目［LYCKAN COFFEE］を高田馬場にオープンした。そしてなんと２０２２年12月には香港に［FIKAFABRIKEN Hong Kong］が誕生。スウェーデンとつながってい

II.［FIKAFABRIKEIN］の定番クッキー。スウェーデンでは、「7種のお菓子があれば最高のおもてなし」と言い伝えられているそう。フィーカのおともに

たいという気持ちを、自分の手腕で店という形に叶えてきた。

「スウェーデンの粉と日本の粉では特徴が違うので最初は試行錯誤でしたが、自分の記憶をもとに現地でいただいた味わいに近づけています。現地で食べておいしいと感じた喜びは、そこに行かないと味わえないものだからこそ、再現したい。私のお菓子を食べてくれた人に喜んでもらえるのが嬉しいんです。そんなお菓子とともに、フィーカのある生活を過ごしてもらいたい」

初めは何かわからなかったフィーカは留学の一年という歳月を通して、小原さんの生活に欠かせない存在になったのだ。人と人をつなぐフィーカをより日本に根づかせたいという思いが受け入れられた証は、店舗が増えるたびに強固なものになっている。

「今は［toepet］のパンは留学時代に一緒にお菓子を作っていたスウェーデン人の友人・アダムに任せています。酸味のあるパンやライ麦パンなど、スウェーデンの豊かなパンをもっと知ってほしいと彼と話すうちに［torpet］を始めることに。これからはお菓子だけでなく、フィーカにまつわる食器やカトラリーなどを日本で紹介していきたいですね。最近よく、お店を開きたい人から相談をいただくことも多いので、そういう人たちをサポートする仕事もしていきたいです」

料理やお菓子づくりが好き。その気持ちが傍にあることで、小原さんの人生は広がり仲間が増えた。たとえ規模が大きくなっても、一人で歩み始めた時のフィーカとお菓子への思いを抱き続けているからこそ、その歩みは確かなものであるのだろう。

Recipes from the trip

Morotskaka

小原愛さんの思い出のレシピ

キャロットケーキ

【材 料】18cm丸型1台分

- 小麦粉…120g
- ニンジン…1本
- 卵…2個
- レーズンやくるみ…お好みで
- ベーキングパウダー…2g
- シナモン…小さじ1
- グラニュー糖…70g
- 塩…1g
- サラダ油…120g

【作り方】

1.サラダ油、グラニュー糖、卵、塩をボウルに入れて、泡立て器で混ぜ合わせる。

2.全体がよく混ざったら、小麦粉、シナモン、ベーキングパウダーをふるって**1**に入れ、ゴムベラで混ぜる。

3.レーズンやくるみなど、お好みの量を加える。

4.3を型に入れてオーブンを170度熱し、約40分焼いて、できあがり。

08 RUSSIA AND GEORGIA

Around Russia and Georgia

気持ちが前へ開き、人とつながる料理の力

ハチャプリ 米田 妙子さん【ロシア・ジョージアを巡る】

現地での料理教室にて。作った料理を先生の家族みんなといただく

かまどで焼き上げる本来のハチャプリは、
いつか食べられなくなるのかもしれません

大阪のレトロビル・芝川ビルにある［Mole&Hosoi Coffees］では2022年夏まで、週に一度ロシア・ジョージア料理の時間があった。手がけていたのは［ハチャプリ］の店主・米田妙子さんだ。真っ白なチキンストロガノフや鮮やかなボルシチなどがカウンターに並ぶ。ビル地下のちいさな空間に、米田さんが日本と現地で出合ったメニューを口にしようと通った常連さんも多い。

そんな米田さんが大阪の福島にあったロシア料理店［ボーチカ］の扉を叩いたのは2012年のことだった。

それまで、カフェでは菓子づくりを、パン屋では6年パンづくりを経験してきた米田さんだが、いつか自分の店を開きたいという思いを胸に次の展開へと選んだのが、料理の道だったという。いろいろな国の料理を食べ歩き、自分に通ずるものを探してゆく。生業として選んだのがロシア料理だった。

「ロシア料理には他の国の料理にはないような色味など、ワクワクするものがありました。一方で自分が育ってきた味付けと共通するところもあって。私は日本海の出身なので幼い頃から甘めの味付けに親しんできたんです。ロシア料理は煮込み料理が多く、自分が親しんできた味わいに通じるものがあったように思います」

日本でロシア料理店と聞けばクラシックな店構えのレストランが多い中、［ボーチカ］は屋台のような趣。オープン当初ともに店をやっていたロシア人のナターシャさんから受けついだメニューを現在は谷町六丁目でマスターが作り続けている。

「いくつものロシア料理店に足を運んだのですが、ここのボルシチが衝撃的で。ボルシチといえばトマトの味わいが強くすっぱい印象だったのですが、［ボーチカ］のボルシチはビーツがふんだんに入っていてほんのり甘い味付け。今まで食べたボルシチと全然別物でした」

シンプルではあるけれど、煮込み具合で味ががらっと変わってしまうビーフストロガノフや、サワークリームとバター、パルメザンチーズがたっぷり添えられた水餃子のようなペリメニなど、［ボーチカ］での4年間はロシア料理の難しさや不思議と出合う日々だった。そして2015年に初めて米田さんは、ロシアはウラジオストクとハバロフスクを訪ねる。「街の人々の生活を見てみたくて、まずはツアー

Хабаровск

ВЛАДИВОСТОК ВОКЗАЛ

01.ロシアの街・ハバロフスク。遠くに見えるのはグラドニハバロフスキー・サボール・ウスペニヤ・ボシエイ・マテソ
02.ロシアのウラジオストク駅にて

旅行を使って行ってみました。自由時間に街中の食堂やレストランを訪ねて。日本のロシア料理店は同じメニューを変わらず出し続けているお店が多いので、初めて目にする料理ばかりだったんです」

食堂に入ればショーケースに並ぶ野菜や肉料理の数々。好きなものを選ぶと、お皿に大量に盛り付けられていく。コース料理では、バターを入れ込んで揚げたチキンキエフやビーフストロガノフにガルショーク（壷焼き）など。濃厚なひと皿が次々と運ばれてきた。

フランス料理にコースという概念を持ち込んだのは、ロシア料理が始まりだという。それまでフランスでは食卓にたくさんの皿が同時に並び、食べ手は自分の席の目の前にある料理しか食べることができなかった。それがロシアからフランスへ渡ってきた料理人たちの影響で変わったのだ。

「今までロシア料理とロシアという国を知ろうとしていましたが、現地に来てみるとウクライナやジョージアなど近隣諸国がつながっているということを肌で感じて。日本では有名なボルシチも、実はウクライナからロシアに流れてきた料理。そういう食の流れや移り変わりをもっと知りたいと考えるようになりました」

「ボーチカ」で何度も料理を手がけマスターに指導してもらい4年が経った頃、米田さんは自分の活動を始める決意をした。店の名前は、料理の名前から取ろう。そう思い立ち、旧ソ連圏のレシピ集をパラパラとめくるも、ロシア料理の名前は長く覚えにくいものが多い。そこで見つけたのが「ハチャプリ」というメニュー。ジョージアのパンの名だ。料理に対する興味がジョージア料理へと広がる、ちいさな一歩が、この時に生まれた。

「2016年に間借りで「ハチャプリ」を始めて、今は6割がロシア料理、4割がジョージア料理という感じで作っています。当時ジョージアは日本でこんなに有名ではなく、ジョージア料理を経験する機会がなかったので、レシピは現地の料理教室で教わりました」

　実は最近ジョージアに移住する日本人が多い。1年以内の滞在であればビザの取得が不要なことや物価が安いこともあり、フリーランスの人たちなどを中心に向こうへ住まいを変える人が少しずつ増えてきた。ガイドブックやエッセイ本も出版され、あの飲食店「松屋」ではジョージアのシュクルメリが季節メニューとして登場し話題となった。でも米田さんがハチャプリという料理名に出合った時は、まだそんなブームは起きていなかった。店で出そうと、レシピ本を見てハチャプリに挑戦しても、なんだか上手くいかない。その解決方法をくれたのは、「ボーチカ」でアルバイトをしていたロシア人留学生たちだった。国は違えどロシアでも食べられるハチャプリ。彼らがレシピを教えてくれた。

05

03

06

04

03.朝はシンプルにチーズやトーストと 04.店名に出合った旧ソ連圏のレシピ本 05.ロシアで食べたチキンキエフ 06.好きなものを選べる食堂にて

「初めの頃はハチャプリしか出せなかったのですが、2018年にやっとジョージアに行くことができて、一気にメニューが増えました」

ヨーロッパとアジアの間に位置するジョージアはワイン発祥の地としても名高い。雪に覆われたコーカサス山脈の南にあり、西には黒海が広がり地中海性気候が繰り広げられる。そう、変化に富んだ大自然に囲まれた国なのだ。昔から柑橘類やザクロ、リンゴ、スイカなどの果実をはじめ、クルミやヘーゼルナッツ、とうもろこし、小麦などさまざまな野菜が育まれてきた。自生するハーブも多く、料理にはふんだんにハーブやスパイスが使われている。米田さんが初めて訪れた当時は外国人観光客も少なく、街中はもちろん、乗合バスのマルシュルートカでもみんなが声をかけてきた。もちろんジョージア語はわからない。通じていないのは明白だとしても、とにかく話しかけてくる。好奇心と親しみで溢れた人たちとの出会いが続く。

「現地の家庭料理を見てみようと、英語で情報を探して、おばあちゃんに教えてもらう料理教室に参加しました。サメグレロ地方のご自宅にうかがって、ハチャプリとゴミ、バドリジャニという

საქართველოს ხაჭაპური

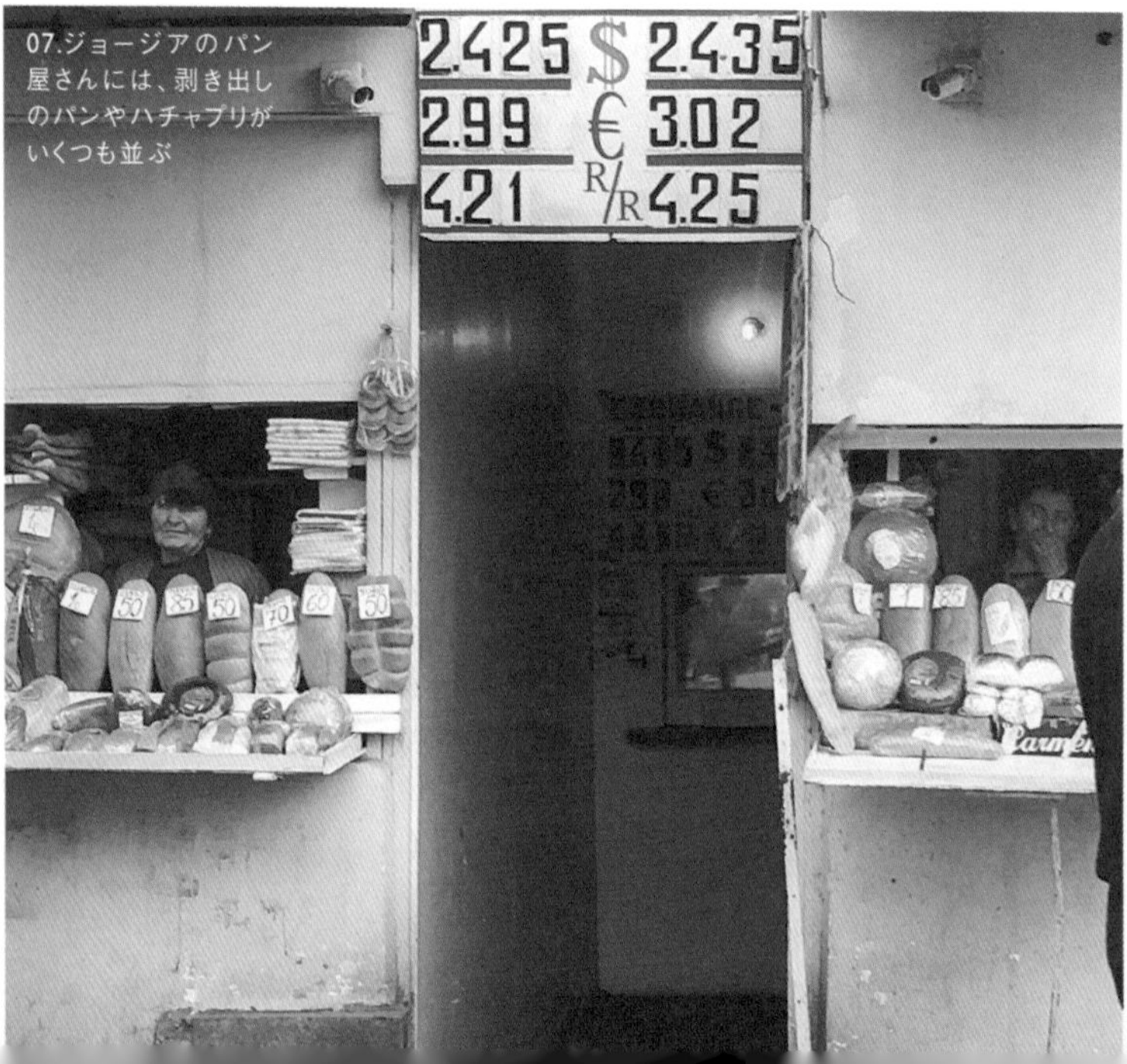

07.ジョージアのパン屋さんには、剥き出しのパンやハチャプリがいくつも並ぶ

料理など、いくつか教えてもらって。キッチンとは別に大きなかまどがあるのですが、ハチャプリはそこで焼くんです」

　日本でハチャプリというと、菱形で卵が乗ったパンを想像する人が多いかもしれない。実はハチャプリは地域ごとに名前や形が違い、ここサメグレロ地方ではメグルリという丸いパンである。中にカッテージチーズを入れて表面に卵黄を塗って焼き上げる。ジョージア語でハチャがチーズを、プリがパンを指すのだけれど、もちろんチーズが入っていないハチャプリも存在する。

「かまどで焼いたハチャプリは、カリッと香ばしくて本当においしかったんですね。でもこういう作り方はもう、現地でも若い人たちの間ではされていないそうです。帰国後はオーブンで作っていますが、やっぱり全く同じようには焼き上がらない。こうやってかまどで焼き上げる本来のハチャプリは、いつか食べられなくなるのかもしれません」

　昔からあり食べ続けられている料理でさえも、手しごとと一緒で暮らし方や利便性によって形を変

ბებიასთან
ხაჭაპურის დამზადება

08.09サメグレロ地方のおばあちゃん家でハチャプリづくり。薪ストーブの上にフライパンを乗せて焼き上げる　10.トビリシの街並み

ძალიან კარგი
ქართული
სამზარეულო

11.パドリジャニづくり 12.くるくると巻いて、プハリ（中央）とブルガルリ（右）と一緒にひと皿へ

えていく。同じ料理のなかに見えるちいさな変化には、その土地土地のライフスタイルが映し出される。本来の姿を追求することは労力がかかることだけれど、もともとその土地にあったおいしさが、より均質的なものに姿を変えていってしまうかもしれないと思うと、料理を見て食べて作るための旅をしていく身としては、寂しいものがあるかもしれない。

「２０１９年にもう一度ジョージアへ行ったのですが、その時はイメリティ地方のおばあちゃんに料理を教えてもらいました。ここでもハチャプリやバドリジャニ、ハルチョーやアジカチキンなどたくさんのメニューを教えてもらって」

ジョージア料理の定番バドリジャニは焼いたナスのスライスに、クルミのソースを塗って丸めたもの。レストランで見たきれいな形とは違っておばあちゃんのものは豪快だった。おそるおそるナスにソースを塗る米田さんの横で、べちゃっべちゃっと豪快にソースを塗ってナスをくるくると巻いてゆくおばあちゃん。最後はザクロを上に付けて完成だ。不思議な見た目の料理ではあるけれど、ひと口食べるとナスのなめらかさの中に、くるみの香りとつぶつぶした食感が広がり、店でも欠かせない副菜となった。

「ここの家庭は大家族だったので、終わった後にみんなで賑やかに食卓を囲んだのを覚えています。自家製ワインを飲みながら、何度も何度も乾杯を」

　ジョージア語で乾杯の挨拶は「ガウマルゾス」。「あなたの勝利を祝して」という意味だ。ジョージアではスプラという宴会があり、進行役「タマダ」によって最初の乾杯が行われた後、神様や両親、友人、そして来てくれたお客さまなど、さまざまなものに乾杯を重ね、何時間もこのスプラは続くのだそう。米田さんが囲んだ食卓はシンプルなものでありながらも、その風習が少し垣間見える時間だった。

「ロシア料理も奥深いのですが、ジョージア料理のほうがスパイスやハーブによって味わいに幅があるような気がしています。乳製品が豊富でチーズをたくさん使うため日本では再現できないメニューもあるけれど、もっと現地でレシピを知っていきたい」

　最初はロシア料理で抱いた好奇心を、米田さんは今、ジョージア料理で感じている。

「料理教室の食卓もそうですが、言葉がわからなくても食べることで人とつながることがあると思うんです。食べることで自分自身も素になれるというか。だから料理を前にすると、人を近く感じることができる。『おいしい』というのは、気持ちが外に、そして前に開くということなんだと思います」

　2022年夏に「ハチャプリ」はついに実店舗をオープンした。人を近くに感じる、そんなひと皿が大阪のちいさな店で花開いてゆく。

13.米田さんが作るポーランド風ロールキャベツは、心が温まる優しい味わい

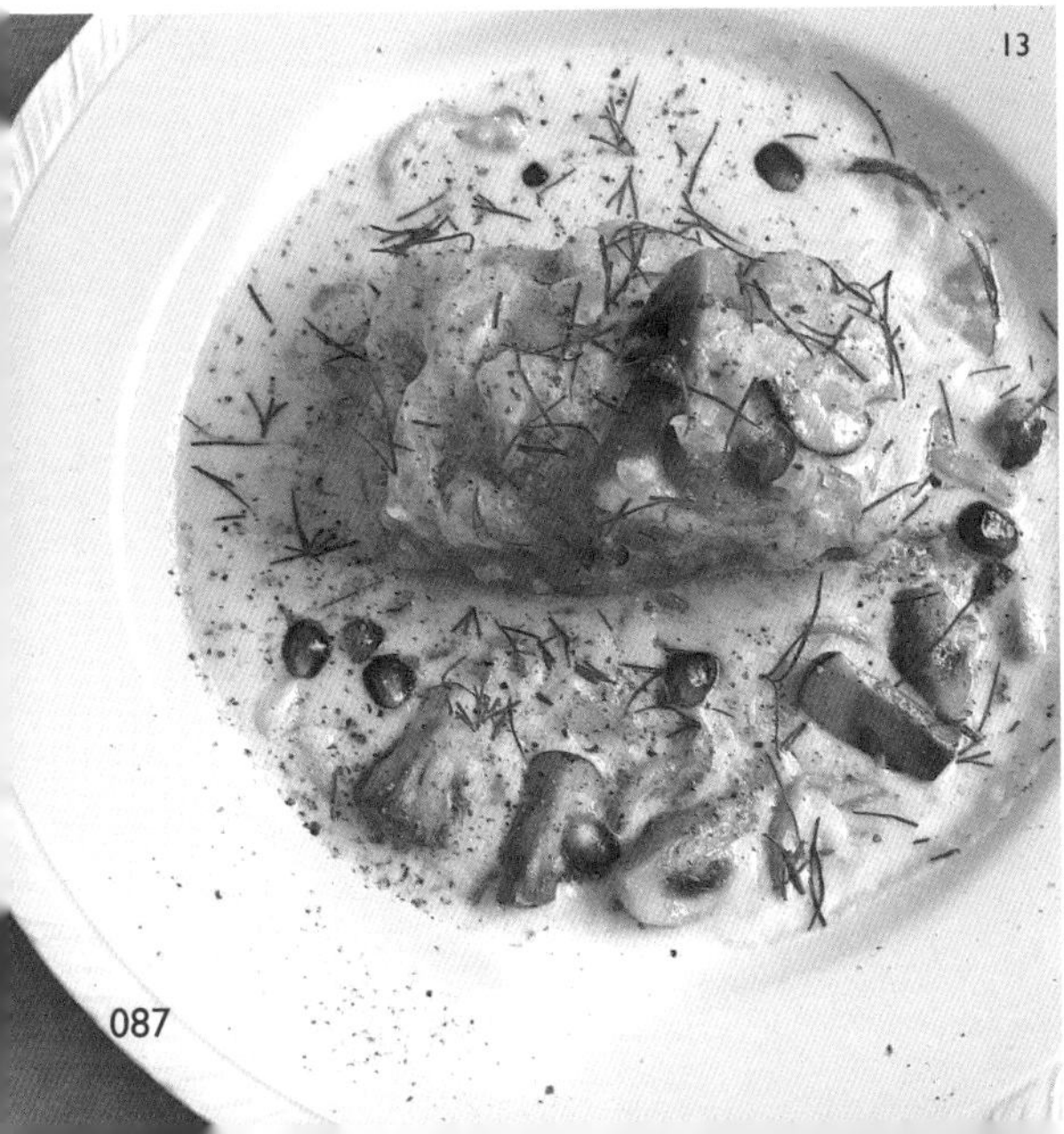

Recipes from the trip

Badrijani

米田妙子さんの旅のレシピ

バドリジャーニ

(ナスのくるみペースト和え)

【材 料】約3人分

- ナス(縦に薄切り)…4本
- ザクロの実…お好みで
- 油…適量

くるみペースト

- ローストしたくるみ…100g
- 玉ねぎ…1/4個
- ニンニク…2片
- パクチー…2株
- ワインビネガー…大さじ1
- フェネグリーク…小さじ1/2
- コリアンダー…小さじ1
- チリパウダー…少々
- 塩…小さじ1/2

【作り方】

1.ナスに軽く塩を振り、油を入れたフライパンで両面焼く。

2.くるみペーストの材料を全てフードプロセッサーで混ぜる(硬ければ水を少し足す)。
※フードプロセッサーがない場合はすり鉢ですったくるみと、細かく刻んだ他の材料を混ぜ合わせる

3.焼いたナスの片面に**2**を塗り、巻いていく。
ザクロの実を上にかざって、できあがり。

09 POLAND

around Poland

街に馴染んだ郷土菓子に魅せられて

ポンチキヤ 坂元萌衣子さん【ポーランドを巡る】

ワルシャワにある坂元さんお気に入りのポンチキ屋さん。当時はふわふわで香ばしいポンチキが買え、思い出に残っているそう

奇を衒うことはしたくないけれど、
日本の食材を使って作ることは必要だと思う

ふっくらとした丸い揚げた生地の中に、ラズベリーやローズのジャムが入ったドーナツ。ひと口食べるとモチっとした弾力と優しい甘さが口の中に広がる。そのどこか素朴なお菓子の名前は、ポンチキ。ポーランドのドーナツだ。

東京の新宿駅から京王線に乗って柴崎駅で降りると、住宅街のなかに急に現れる木目調のちいさなお店。ここ「ポンチキヤ」で、店主の坂元萌衣子さんは毎日4〜6種類のポンチキと焼き菓子を手がけている。

坂元さんが初めてポーランドに興味を持ったのは、高校生の頃だった。きっかけは習っていたピアノの課題曲で、ショパンを弾くようになったこと。独特なメロディーや、歌うように鍵盤を弾くリズム、「ノクターン(夜想曲)」から始まりワルツなど、新たな曲に触れるたびにポーランドへの憧れや想像は膨らんでいく。

坂元さんは高校卒業後、東京外国語大学へ入学した。専攻はポーランド語学科だ。

料理に触れるようになったのは、ポーランドへの興味より少し早い中学生の頃だったという。ちいさい頃お母さんのお菓子づくりを手伝ったことはあったけれど、お小遣いをもらうようになってから、自分で材料を買って、自宅にあったレシピ本を見ながら本格的に挑戦するようになった。

「クッキーから始めて、スポンジケーキなどもチャレンジするようになって。でもだいたい最初は失敗するんです。失敗することで、研究熱が燃えるというか。どうやったら成功するんだろう?と、ハマっていったんですね。あと、ちいさい頃からマヨネーズやねりわさびのような完成されているものが、どうやって作られているのかわからないと食べられなくて。自分で作り方を調べて作ってみたり、材料を知ることで食べられるようになったんです」

幼い坂元さんにとって、食べものを口にすることは世の中を自分なりに探究し理解を深めることだったのかもしれない。

東京外語大に入学した坂元さんは、1年生の時に念願のポーランドへ。クラシカルでロマンチックな街並みや人の雰囲気を想像し、ワルシャワ・ショパン空港へ降り立った。

「好きな気持ちがどんどん膨らんでいたところで、良くも悪くも理想のポーランド像が崩れたというか。空港にいる白タクのおじさんたちはすごく怖いし、やっぱり社会主義時代は、何十年もカスタマーサービスがゼロの国だったわけじゃないですか。その名残のほうが強くて、ひと言でいうと仕事中の人たちは愛想がない(笑)。でも街中で出会った人たちは、ポーランド語が少し喋れることがわかると優しくて。興奮してあっという間に終わってしまった1週間の滞在でしたが、妄想とは違う新たなポーランドの良さを発見できたような感覚がありました」

ワルシャワにあるワルシャワ・ショパン空港から電車で2時間のクラクフへ。クラクフはポーランドが王国として栄えた14〜16世紀の頃に王都として繁栄した街だ。旧市街は第二次世界大戦の戦禍を逃れ、1978年に世界で最初の世界遺産12件のうちの一つとして、世界文化遺産に登録された。

「アジアからの観光客はほとんどいなくて、ヨーロッパそのものという感じがしたし、息をのむ美しさでした」

次々と本物のポーランドが目前に飛び込んでくる1週間。その旅で出合ったのが、ポンチキだった。

「初めて食べたポンチキは、ちょっとあたたかくてふわふわで、本当においしかったですね。行列につられて買ってみたのですが、若者だけでなく、おじいちゃ

01.ワルシャワの旧市街にある王宮広場。左側にある像はポーランドの首都をワルシャワへ遷都したジグムント3世

んもおばあちゃんも、みんな並んでいたのが印象的でした。本当に街に馴染んだ食べ物なんだろうなって思ったんです」

　街に馴染む食べものと考えた時、日本では何が浮かぶだろうか？　いろいろな料理やスイーツが流行する日本だけれど、子どもから大人まで愛され、常に食べられる国民食のようなお菓子は、現在はないかもしれない。

「私が食べたポンチキはキャラメルのようなトフィーが入っていましたが、いろんな種類があります。ポンチキは朝ごはんにもなるし、夜食にもなる。仕事中に小腹が空いたら誰かがどさっと買ってきて、みんなで食べる。まさに、生活の一部でした」

　実は坂元さんは、ポーランド語だけでなく英語はもちろんアラビア語やフランス語も勉強してきた「語学好き」だ。在学中もポーランドだけでなく、カナダのトロントやフランスのパリ、エジプトのカイロへ留学を重ねた。そのなかで特に印象に残ったのはトロントだったという。

「親には大きな声では言えませんでしたが（笑）、海外へ行く一番の目的は、食の現場を見ることでした。もちろん好きな語学の勉強を兼ねているので学校に通うことも。でもその合間にレストランなどへ行って、キッチンを見せてもらえないか相談しました。トロントはすごく移民が多いので、食材もあらゆる国の本格的なものが手に入る。街中には移民の二世や三世が母国の味を提供するレストランがたくさんあります。私はギリシャレストランの厨房でお手伝いさせてもらえることになったのですが、そこは朝食に特化していて、トロントではブランチの習慣が浸透していて、土日になると朝から店もたくさんのお客さんで溢れるんです。オムレツや

Pączkarnia

02.ポーランド西部にある古都・ヴロツワフのポンチキ専門店

トースト、サンドイッチにパンケーキ、そしてたくさんのサラダやフルーツなど、みんながレストランのブランチを食べるのを楽しみに集まってくる。だから厨房も大忙しなのですが、シェフと連携して次々と盛り付けて出していく、そのスピード感やエネルギッシュな空気にワクワクさせられました」

そんなトロントで暮らした10ヶ月は、初めての一人暮らしでもあった。

「お菓子づくりはしてきたけれど、自炊することは初めて。そのうえ和食を食べたいと思っても、食材が手に入りにくい。そんな時、食べたいものを食べるには、何で代用すればいいんだろう?と考える場面がたくさんあって。例えば餡子を炊いて大福を作ったり、餡子を人に贈りたいと思った時、小豆がない。じゃあ手に入りやすい豆で作ってみようという実験が始まって。そしたら、意外とできるんですね。大福の周りにつける片栗粉もコーンスターチで代用したり。そうやって、実験を通して固定観念を覆していくことがおもしろかったんです。意外とできるじゃん!という発見の連続でした。料理って化学なんだなって感じるようになったんです」

その意外な発見は、同じくポーランドでも起きた。

「ポーランドに8ヶ月暮らしていた頃、ポーランド料理のレストランで働くことは難しかったのですが、ポーランド人がやっているお寿司屋さんが雇ってくれて。担当はホール。賄いがポーランド料理だったので、作っているところを見せてもらったり、質問させてもらって、ポーランド料理の作り方を少しずつ知っていきました。あとは、いろいろな友人に『料理

Śniadanie w Toronto

03

04

03.トロントで働いていたレストラン[Musa] 04.ある日の[Musa]の朝食メニュー。好みのスタイルの卵2個、ベーコンかソーセージ、好みのスタイルのポテト、トースト、サラダ、ハラーブレッドのフレンチトーストがつく

SZARLOTKA DOMOWA

05.友人の家で教えてもらった
シャルロトカ（リンゴタルト）

を知りたい』と言い続ける。すると友達が、おばあちゃんや親戚など家庭料理をきちんと作っている人のお家へ連れて行ってくれたんです。ライ麦のスープやケーキなどポーランドの料理やお菓子を教えてもらう代わりに、私も日本料理を教えて。ポーランドには「Na《ナ》 o《オ》ko《コ》」という言葉があるのですが、それは『目で』という意味で目分量のこと。特にケーキづくりは、日本では気合いを入れて軽量しなくてはならないですが、極端な話「お砂糖一箱」とかそんな感じでざっくりした分量で作っちゃう。でもそれって、その料理の原理を理解していれば、省いてはダメなルールや入れてはダメな量がわかるから緩くできる。そういうことなんだと思います。国によってこんなにも違うことを知れたのは、すごくいい経験でした」

「目分量」と聞くと一見ざっくりした作り方で、そこが日本と違う不思議なおもしろさに感じるが、研究したがりの坂元さんからすれば、「Na oko」である論理的な背景も見えてくる。「Na oko」を上手く効かせ、おいしいものを作りあげるには、その料理と食材、材料のことを深く理解しなくてはならない。

帰国後、大学生としての日々が再開した。「いつか自分の店をやりたい」という思いはあったけれど、それは遠い未来。坂元さんは大学卒業後、貿易会社へ就職した。

そんな坂元さんが「いつか」を、より近い未来として考えるようになったのが、２０１１年に起きた東日本大震災だった。当時住んでいたのは東京だけれど、変わらぬ日常が一変する震災を知って、退職し調理師学校に入学を決めた。卒業後はホテルのキッチンをはじめ、フランス料理店や料亭、ポーランド料理店など、さまざまな店で現場に入る。

「やっぱり料理は化学だと思うので、いろいろな料理ジャンルの現場へ入りたかったんです。一つのお店で修行するだけでもちろんやり方は理解できるのですが、料理のジャンルが変われば切り方や焼き方など、肉や野菜の扱い方が変わる。さまざまな現場を見ることは、食材自体の化学構造とまではいかないですが、成り立ちがわかって興味深かったんです。学校では授業の時間が限られてますし、王道のやり方しか習わない。でもそれこそ、国によってお菓子も料理もやり方が違うわけで、教科書通りのことだけが真実じゃないと思うようになって。そうやって知識が増えることで、オリジナルのことができるようになるんですね。一つのお店で学べばそのお店のコピーは上手にできるようになると思うけど、複数の現場で学ぶことで構造を理解できれば、それを応用して自分のオリジナルのレシピができる」

さまざまなジャンルを経験した坂元さんが、自分の店として選んだのがポーランド料理だった。「トロントのような朝ごはんのお店だったり、「エル・ブジ」のようなガストロミーだったり、いろいろやりたいことはあったのですが、改めて自分の好きなものを考えるとやっぱりポーランドと料理の二つ。その二つを掛け合わせた場所、つまりポーランドに特化した飲食店をやることで、一番好きなことを表現できると思いました」

ポーランドが好きな理由を改めて聞いてみると、坂元さんは「ポーランド人の優しさと情熱」と答えた。接客をはじめとした仕事上では一見冷たいポーランド人たちだが、プライベートになるととにかく優しい。親切にされてお返しをしたいと思うと「お返しはしなくていいから。私にお返しする代わりに、別の人へ親切にすることで、いい連鎖をつなげていって」と言われる。

「感謝や親切な行動と心を、完結させずに連鎖させていく考え方って素敵だなと思う。ポーランド人からは、人生のなかで大切なことを教えてもらったような気がします。ポーランドで彼らと過ごすことで救ってもらったような感覚があって」

はじまりは2014年、まずはフードトラックで。ビジネス街で、ランチとしてスープやピエロギなどポーランド料理を提供した。イベントがあればポンチキを出し、ポーランドの日常的な料理を伝えようと坂元さんの活動が始まる。2017年には、柴崎に

旅のルールは、ポンチキを見つけたら食べること　06.オレンジピールつき　07.クラクフにて　08.ワルシャワの老舗
09.上に赤スグリ。ポーランドではスグリの栽培が盛ん　10.友だちの家で朝食に　11.チョコレートチップ付き

「ポンチキヤ」をオープンした。当初は同じく食事も出していたが、コロナ禍もあり現在はポンチキをメインにタルトなどお菓子を出している。

「初めてポーランドに行った時から、ポンチキがおいしかった印象がずーっと心に残っていて。帰ってきてから、何度も何度もポンチキを作っていました。ポンチキって現地ではポンチキ屋さんやベーカリーで売っているのですが、お店によって味や食感が全然違うんですよ。主な材料は粉と砂糖とバター、卵なのでおいしいものはすぐできるのですが、現地のポンチキとの微妙な違いにはどういう秘密があるんだろうって。ポンチキ屋さんで働いたことがある友人のポーランド人に相談したり、現代のレシピだけでなく昔のレシピを探したり何度も何度も試していきました。今も自分のなかのおいしい基準を超えた上で、実験は続いています。イーストは生きものですし、作るたびにちいさな変化に気づく。100%正解の答えが出てしまうと、興味を失ってしまうかもしれません」

ポーランドと同様に、ラズベリーや薔薇ジャム入りのポンチキはもちろん、日本の食材をポンチキに組み合わせ、どう馴染ませるかも試行錯誤だ。人によっては現地のものを忠実に再現することを重視するつくり手もいると思うが、日本のものを組み合わせることをどう考えているのだろう?

「季節の果物はもちろん、抹茶やほうじ茶など日本の食材を入れたポンチキを作ってます。私自身はあまり好きではないですが、マクドナルドって世界中にありますよね? 海外でマクドナルドやスターバックスなどチェーン店を目にすると、『またか』と感じていたんですけど、蓋を開けてみると小さな違いやこだわりがメニューにある。たとえばエジプトに行けばハラールのメニューで作られている。そうやって、その土地に合わせることで食文化は変わっていくし、広がっていくんだなと考えるようになって。それに気づいて以来、開きなおったというか。たとえばドーナツもヨーロッパで丸い穴のないドーナツが作られていたのが移民とともにアメリカへ渡った。そこでリング状になって、アメリカのドーナツが生まれて。国を変えて形を変えて、広がっていく。それが食べ物のあるべき姿だなと思うんです。だから奇を衒うことはしたくないけれど、日本の食材を使って作ることは必要だと思う。むしろそうしていかないとポーランドのものをただコピーしているだけなので、何の意味もないなと思うんです」

大好きなポーランドの一部を伝えると同時に、その一部がここ日本で広がる新たな形も模索する。それはポーランドのポンチキを崩すことではなく、その土地で、そして坂元さんだからこそ生まれるポンチキの姿だ。

「ポーランドではキリスト教の四旬節の前の木曜日が、『脂の木曜日』とされていてます。四旬節に入ると贅沢を控えなくてはならないので、『脂の木曜日』にポンチキをたくさん食べて食べ納めをするんですね。その日は朝から大行列。何百人もの人がお店に並ぶんです。その日ポンチキを食べないと、その年は不幸になるという言い伝えも。「ポンチキヤ」でもこの『脂の木曜日』にちなんで、ビュッフェ形式でポンチキやお菓子を楽しめるイベントをやったことがあります。私にとってポンチキを作ることは楽しいことであると同時に、ポーランドに興味を持ってもらう道具でもあって。ポーランドの文化はまだ日本ではあまり知られていないですが、食文化だけでなく映画をはじめいいものがたくさんある。ポーランド人って強いんです。社会主義時代を明るく屈強に乗り越えてきた生きる術を持っている。ポーランド人とその彼らの文化に、私は尊敬しかなくて。ポン

Japonia i Polska
Wymiana międzynarodowa

12.住宅街に突然現れる［ポンチキヤ］ 13.2020年にはポーランド人の団体が食べに来てくれたそう 14.2020年に［ポンチキヤ］で行われた「脂の木曜日」。日本とポーランドの交流が広がる

チキを通してポーランドに興味を持ってもらって、この国の文化をもっと伝えていけるようになりたいです。ゆくゆくは、社会主義時代のポーランドの価値観や文化を伝える本も作りたい」

ショパンから始まった坂元さんのポーランドへの興味と愛は、歴史や文化へも広がり、料理という術を通して「ポンチキヤ」というちいさな入り口を作った。誰もが扉を開くことができ、食べることを通してポーランドが、自分の心のなかにやってくる。

話を聞いている時ちょうど、一人のポーランド人が扉を開いた。以前日本に住んでいたそのポーランド人は現在アメリカで暮らしていると話した。「ポンチキヤ」へは日本に住んでいた頃、何度か訪れていたのだという。「今、日本へ旅行に来ています。僕の住んでいる地域ではポンチキは売ってなくて。今日はこれからポーランド人の友人と会うから、手土産に買いに来たんだ」

自分の国を思い出す味。その味わいを、手土産として選ぶ人。食べものは人と人、人と場所、人と文化をつなげてくれる。

大げさに懐かしむ素振りもなく、日々の習慣のようにポンチキをどさっと買って店を出た姿を見て、食べ物のその王道的な役割について思いを巡らせた。

Recipes from the trip

Żurek

坂元萌衣子さんの思い出のレシピ

ポーランドの
ライ麦スープ

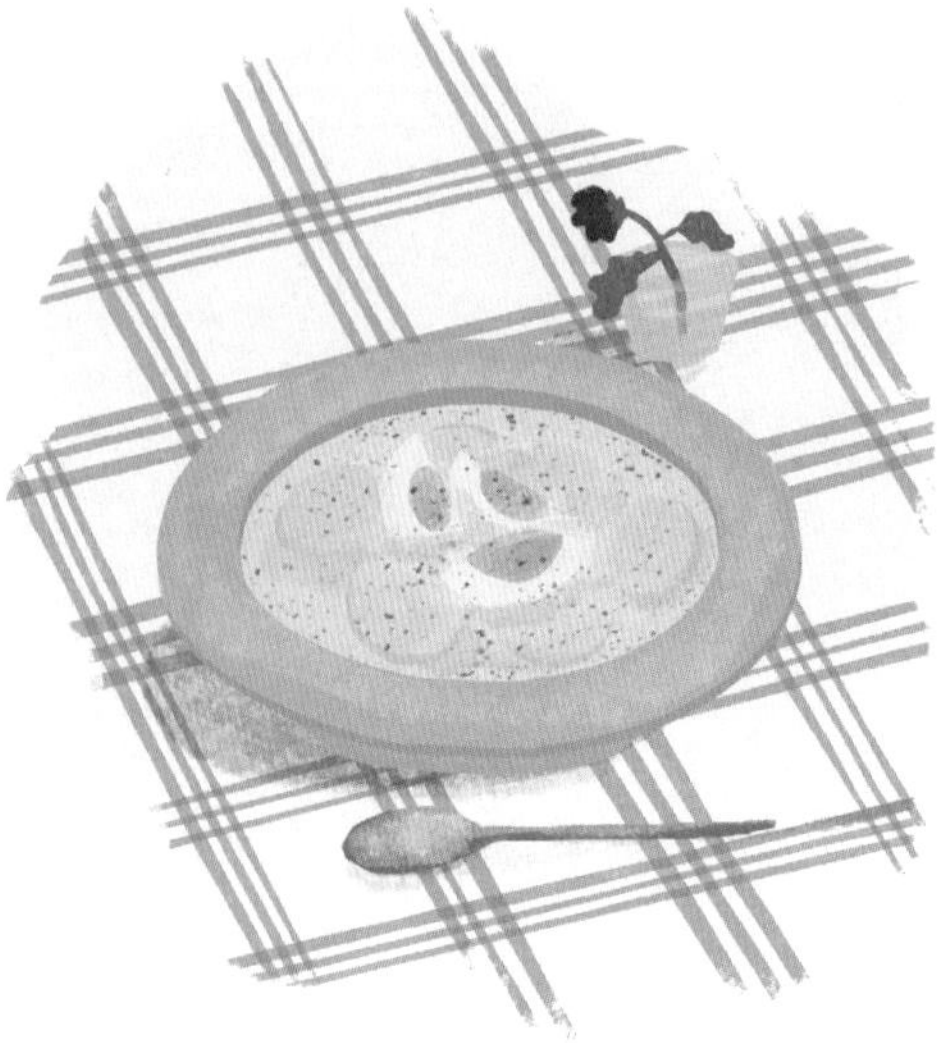

【材 料】約2人分

ザクファス用

- ・ライ麦…大さじ3
- ・ニンニク…1～2かけ
- ・ローリエ…2～3枚
- ・オールスパイス(ホール)…3～4粒
- ・ぬるま湯…250ml

スープ用

- ・鶏肉(細切り)…50～100gくらい
- ・ニンジン(賽の目切り)…1/2本
- ・白いソーセージ…2本
- ・玉ねぎ(粗みじん切り)…1/2個
- ・ベーコン(角切り)…50g
- ・卵(茹でる)…1個
- ・西洋わさび(すりおろし)…小さじ1
- ・ニンニク(すりおろし)…1～2かけ
- ・ローリエ…1～2枚
- ・マジョラム…小さじ1
- ・オールスパイス…3～4粒
- ・ザクファス…200ml程度
- ・生クリーム…大さじ1
- ・塩…適量
- ・胡椒…適量
- ・水…500ml

※お好みでドライキノコやスモークソーセージを入れても良い
※鶏肉とニンジンは切らずに茹でて、出汁が出たら取り出し別の料理に使っても良い

【作り方】

ザクファス

1.ライ麦とぬるま湯を混ぜて、ニンニク、ローリエ、オールスパイスを入れて温かいところで5日間程度発酵させる。毎日かき混ぜる。

スープ

1.水を入れた鍋に鶏肉やニンジン、ローリエ、あれば水に戻したドライキノコ、白いソーセージを入れ中火で15から20分茹でる。白いソーセージは火が通ったら取り出す。

2.フライパンに玉ねぎとベーコンを入れて炒め、**1**の鍋に入れる。マジョラム、オールスパイスを入れる。

3.ニンニクと西洋わさびを入れ、中火で10分程度煮る。全ての具材がちょうどいいやわらかさになったか確認し、足りなければさらに煮る。

4.味をみながら、お好みの酸味になるまで、**3**へザクファスを入れる。とろみがつくまで中火にかける。

5.塩、胡椒を入れて味を整える。取り出した白いソーセージをお好みのサイズにカットして入れる。

6.生クリームを入れる。

7.スープ皿に盛り、茹で卵をカットして浮かべたら、できあがり。お好みで、茹でたジャガイモを入れるのもおすすめ。

10 UNITED KINGDOM

スコーンへの情熱が導くベイキングの世界

around United Kingdom

UNDERGROUND BAKERY 手井梨恵さん【イギリスを巡る】

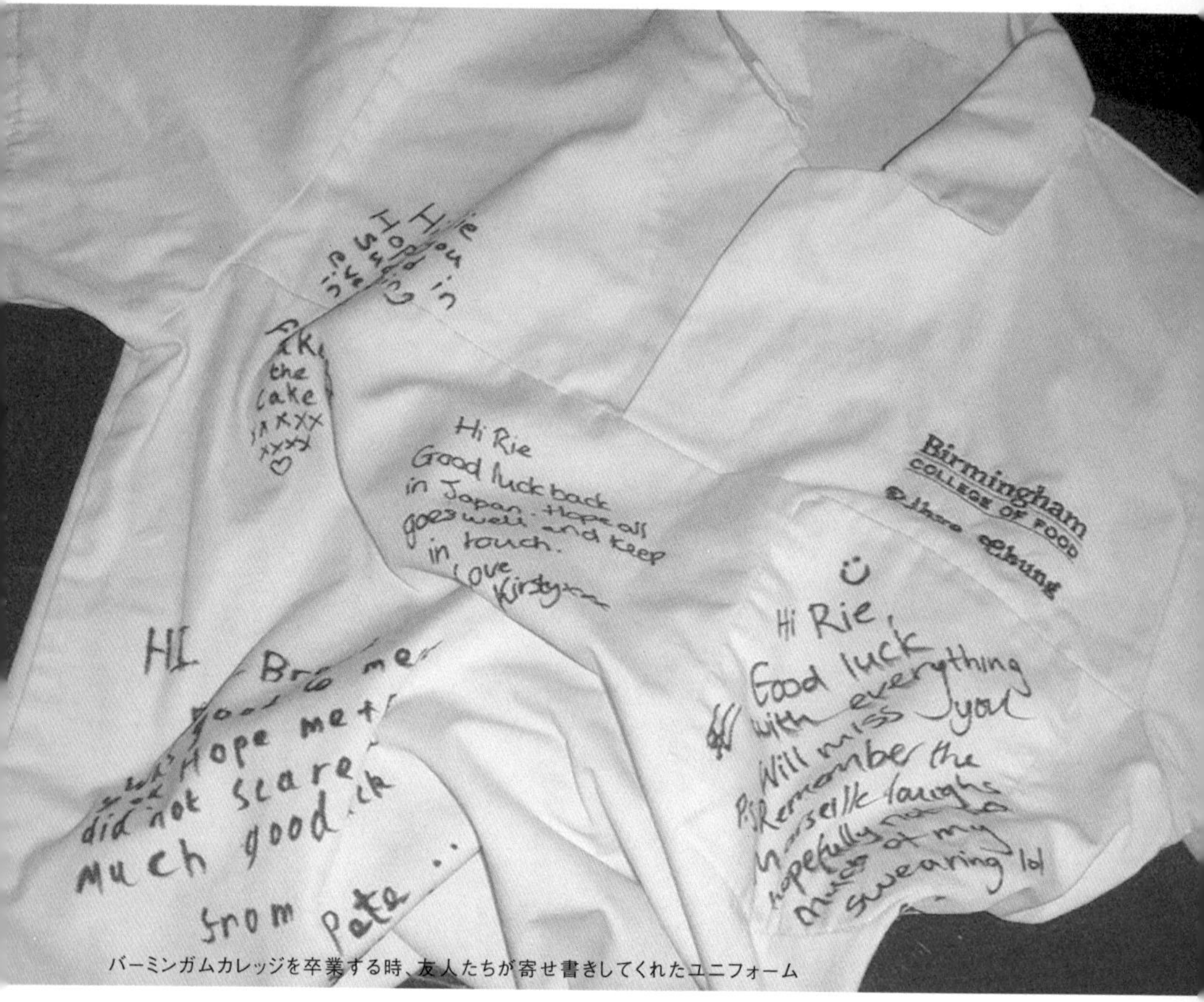

バーミンガムカレッジを卒業する時、友人たちが寄せ書きしてくれたユニフォーム

{ だから私は自分が見つけた好きな味を、
頑固に貫いている }

神戸の西元町駅から海岸通りに向かって歩を進め、古着屋や雑貨屋が並ぶ乙仲通りへ。ベルベット色の壁にミントグリーンの扉が映えるちいさなベーカリーは、一度目にしたらその愛らしさを忘れられない。週3日ほど開くここ[UNDERGROUND BAKERY]は、午後には早々に売り切れて店じまいとなるほどの人気だ。

「お菓子屋さんというよりも、イギリス屋さんというイメージで」と語る店主の手井梨恵さんは、2015年にこの店をオープンした。

食に関わる仕事をしていて、食べるのが好きという背景は珍しくはないが、手井さんのそれは想像を超える。兵庫県姫路のモーニング文化に育まれ、幼い頃よく過ごした場所は公園というよりも喫茶店。祖母と一緒にいつもの喫茶店に訪れ、朝からトーストを2〜3枚食べる女の子だった。家のなかで姿が見えないと探せば、テーブルの下で隠れてパンを食べている。好きな絵本ももちろん食べものが出てくる絵本だった。なかでも、外国の食べものが描かれる本は手放せない。見たことのない

01

02

01.02.いつも列ができる[UNDERGROUND BAKERY]。店内には手井さんがイギリスから持ち帰った、レシピ本なども並ぶ

食べものに心が奪われた。

「小学校5年生の頃に初めてレシピ本を買ってもらって。そこから休みの日に、一人で作るようになりました」

日本では見たことのない菓子に憧れて、いろいろな本を手に取る。食べられない料理への食欲を、本を読んでは満たしていくようだった。

「高校生の頃、林望さんの『イギリスはおいしい』という本を読んだのですが、スコーンの章が忘れられなくて。そこには日本ではまだあまりなかったスコーンと一緒に狼の挿絵が描かれていました」

スコーンを想像してみると、真ん中あたりが少し割れたり膨れ上がっているのがわかるだろうか。イギリスではその見た目を、狼の口と呼ぶそうだ。挿絵をひと目見た時に、手井さんの胸の奥に何か突き刺さるものがあった。絶対にスコーンを食べてみたい、その気持ちが、手井さんをどんどんイギリスへと導いていった。

「イギリスに触れたいという思いが強くなって、そこからイギリス映画にもハマって。現地の大学に交換留学できる大学を探して入学しました。ようやく1年生の時に2週間イギリスへ行くことができました」

03.アフタヌーンティーは、サンドイッチとスコーン、ケーキが主流。コースのように順々にいただく

初めてのイギリスは、夏休みに短期留学でオックスフォードへ。1996年のことだった。ヒースロー空港に着くと、名前を書いたボードを持った送迎の人の姿が。車に揺られ窓から外を眺めると草原に羊の群れを見つけ、イギリスにたどり着いたことを、胸が高鳴りながら手井さんはそっと噛みしめた。

「ホームステイをしたのですが、ホストファミリーは私が初めての受け入れ学生だったそうで、出会いをとても喜んでくれました」

「なぜイギリスに来たの？」と聞くホストファミリーのおとうさんに、「スコーンが好きだから」と答えた手井さん。おとうさんは想像しなかった回答に苦笑しながら「じゃあ、明日スコーンを買ってきてあげるよ」と伝えた。次の日仕事から帰ってきた彼は

04.レディングでの交換留学時代。上は、ノッティングヒルのお祭りの様子

NOTTING HILL FESTIVAL

紙袋を手にしながら言った。

「実はねスコーンもおいしいけど、僕の故郷のウェールズにはウェルシュケーキというものがあるんだ。とてもおいしいお菓子でね」

そこには、レーズンが入ったひらべったいクッキーのような丸いお菓子が入っていた。食べてみると、スコーンのようにさくっとしている。表面に砂糖がまぶされ、ほんのりとした甘さと砂糖のざらっとした食感が広がる。都市部のベーカリーで出合える機会は少なく、ウェールズ地方でしか出合えないという郷土菓子のウェルシュケーキ。その土地に根づくお菓子のおもしろさに手井さんは魅了された。

語学学校へ通うための短期留学ではあるけれど、手井さんの一番の目的はスコーンを食べること。町を歩きベーカリーやティールームを見つけては、スコーンを頼んだ。街中で「なぜイギリスに来たの？」と訪ねられれば、迷いなく「スコーンを食べてみたかったから」と答えた。想像してなかった答えに不思議がるオックスフォードの人々に、好きなお店のスコーンを教えてもらっては、足を運んだ。同じスコーンでも店ごとに味わいが違うことを初めて知った。イギリスと言えば欠かせないパブでも、スコーンと紅茶は日常の風景の一つだった。

「スコーンはスーパーやキオスクにも売っていて、まさにイギリスの人たちの生活の一部でした。それに、本当にティータイムの多いこと。日中もお茶休憩は欠かせない習慣で、至る所で紅茶を飲んでいる人を目にして、そんなちいさな光景が楽しかったんです」

東京の大学に通っていた手井さんは日本に帰国後、スコーンを探し食べ歩くようになった。しかし、イギリスで食べた味とは何かが違う。でもその何かが何なのかは、わからなかった。

大学4年生になると予定していた通り交換留学に行き、卒業後は日本の紅茶ブランドへ就職。でも心のなかにあった「スコーンのおいしさ」への疑問は沸々と高まり、手井さんをベイキングコースへの留学へと導いていく。就職して7年後、製菓が学べるイギリス中のカレッジの情報を調べ、手井さんはバーミンガムにあるカレッジへ留学した。

日本で食べるスコーンとの違いを知りたい。製菓職人になりたいのでもなく、食に関わる仕事をしたいわけでもなく、ただ好奇心を叶えるための留学だった。

「カレッジのベイキングコースに2年間留学しました。イギリスでは中学校を卒業すると高校に入学するか、専門的な職業を学ぶカレッジに進学するかという二つのパターンが主で、私が入学したカレッジはその専門職を学ぶ場所。10代後半の子たちと一緒に、パンとベイキング、ケーキデコレーションの三つに関して実技と理論を学ぶコースでした」

授業は毎回違うメンバーでチームを作り、いかに効率よくパンや焼き菓子を作るかを鍛錬する内容が多く、卒業後はベーカリーのマネージャーになる人を育てることが目的のようだった。手井さんが想像していた授業とは少し違ったけれど、留学生の存在は珍しく、職場研修で良いベーカリーを紹介してくれたり、規模の大きいイベントで製菓のボランティアを薦めてくれたりと、先生たちの眼差しも熱い。しかし就労ビザ取得という壁は想像以上に高く、現地で働くという希望はどうしても叶うことがなかった。

授業では、郷土パンの世界に出合うという新たな発見もあった。その地方にしかない独特なパンの存在に興味が湧く。そこから今も、イギリスに行っては地方のパンを探す旅へとつながっている。

「ある地域発祥のもので今では全国で食べられているパンもあれば、本当にその地域に行かないと食べられないパンもあるんです。さらには廃れつつあるパンも。毎年夏になるとイギリスへ2~3週間訪れるのですが、地方のパンに一番興味があって、必ずどこか地域を決めて出向いていて。ここにありそうという情報を頼りに足を運んでも見つからない時もあります」

CITY OF ABERDEEN

Aberdeen Butteries

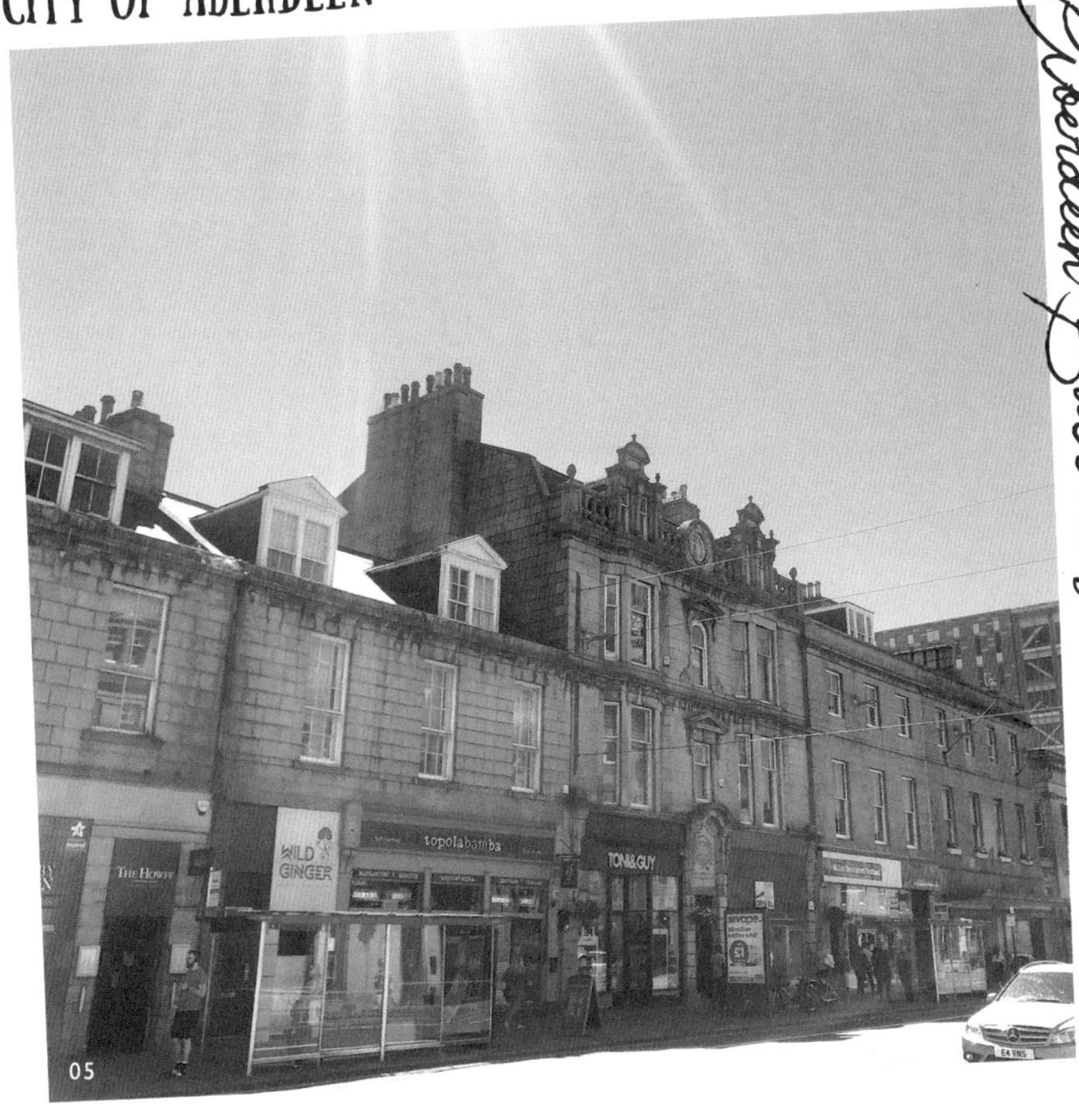

05.アバディーンの街並み。アバディーンバタリーというパンを探しに。バターたっぷりでさくっとした塩味のパンなのだそう

06.コーンウォール州に滞在中、ちいさな町のブックカフェで出会った絶品サフランパン。観光客が来ないような町へ降り立ち、地元の人に愛されるベーカリーやティールームを探すのが楽しみの一つ。そこには必ず伝統的でおいしいものが待ち構えている

南のコーンウォールへは、その名の通りサフランが入った、黄色いサフランパンを探しに。ちいさなパンでバターをたっぷり使ったサフランパンは、硬めで密度の高いイギリスのパンには珍しくしっとりとした味わい。クリームやバターを塗って紅茶とともにいただく。もちろん一つの店で見つけたら、その旅は成功なのではなくその地域でベーカリーを何軒も訪ねては食べる。

「ベーカリーごとに生地が少しずつ違うので食感や味わいなど、どのサフランパンが自分のなかで好きかを考えながら食べ歩いて。旅するなかで、作りたい！と思ったパンは、帰国後に再現を試行錯誤してお店のメニューにしています」

西部の港町・ブリストルへはコルストンパンというパンを探しに。けれど誰に尋ねても「知らない」という返事が返ってきた。目にするベーカリーに寄ってみても、コルストンパンの姿はない。いったいどこにあるのだろうか。電車に乗って適当な駅で降りることを繰り返した。ある駅の老舗ベーカリーの扉を開くと、そこにはコルストンパンにそっくりなパンが、フルーツパンというシンプルな名前で並んでいた。「コルストンは人の名前で、いろいろな道や建物の

07

08

09

10

Famous gingerbread shop in GRASMERE, LAKE DISTRICT.

07.サフランパンを見つけたブックカフェ。コーンウォール州セント・ジャストにて　08.09.湖水地方グラスミアの有名なジンジャーブレッドショップ。この店の伝統的なジンジャーブレッドの食感が気に入り、参考に試作を重ねた　10.コルストンパン探しが難航し、「あともう一箇所だけ」と訪れたウェストン＝スーパー＝メアで遂にコルストンバンらしきものに！味のあるティールームやベーカリーが並ぶ海辺の町

YDYCH CHI WEDI BWYTA PICE AR Y MAEN ETO?

HAVE YOU EATEN WELSH CAKE YET?

名前にもなっているのですが、近年、奴隷貿易に関わっていたという歴史がわかって。街にあった銅像が壊されたという出来事もあったので、その関係でパンの名前も変わったのかもしれません」

丸いころっとした形のパンの中にはその名の通り、ドライフルーツがぎっしりと詰まっている。

もっとウェルシュケーキを見てみようと、ウェールズ地方に足を運んだことも。ロンドンをはじめ他の地域ではお目にかかる機会のないケーキだが、ウェールズ地方へ行けば電車で車内販売のメニューとしても存在する。タクシーに乗れば運転手から「ウェルシュケーキはもう食べた?」と聞かれる。ウェルシュケーキはこの地域で暮らす人々の誇り高きお菓子なのだ。

さて、ずっと気になっていたというスコーンのおいしさの秘密ついて。それはとてもシンプルなことだった。そう、小麦粉の違いなのだ。

「スコーンに限らず他のお菓子をとっても、小麦粉の違いを大きく感じます。たとえばマデラケーキというパウンドケーキのようなお菓子があるのですが、その材料は小麦粉、バター、卵、砂糖、と本当にシンプルな基本のもの。でも焼き上がった時、日本のパウンドケーキとは全然違って、アーモンドパウダーを入れたっけ?と驚くような香ばしさがあって。日本では家庭でお菓子づくりをする時でさえ、粉の産地にこだわる方が多いですが、現地で使う小麦粉はカナダやアメリカから仕入れている輸入のものがほとんどで。学校で使っていたものは銘柄もない安い粉でした。本当にこだわりがなく作り方も適当なのに、おいしい。羨ましくもあり悔しくもあり、まるでマジックのようでした」

日本に戻ってきてからすぐ、手井さんは前職のつながりで台湾の企業から声がかかり、台北にてベーカリーオープンの役目を担った。日本ともイギリスとも、気候も好みも違う台湾で、初めて仕事としてベーカリーに携わる。

「とにかく湿度も温度も違うので、そのなかでイギリス現地のおいしさを表現するのは難しかったですね。加えて台北の方は健康志向が強く、バターや砂糖の量を制限しなければいけなかったりと初めてのことばかりでした。イギリスの郷土菓子は茶色い素朴なものが多いのですが、華やかにデコ

SAFFRON BUNS

11.コーンウォールで食べ歩いた舌の記憶が鮮明なうちに試作を重ねたサフランバンズ。サフランは惜しみなく使い、レーズンの代わりにドライマンゴーをアクセントに

FLOUR, BUTTER,
EGGS, SUGAR,

SIMPLE MATERIAL

レーションするリクエストもすごく多かったです」

今、手井さんは［UNDERGROUND BAKERY］を開店して、7年目になる。

「イギリスのお菓子の良さはなんといっても粉が主役ということ。バターの風味もそんなに強くないし、甘すぎず気取らない良さがある。イギリスのベーカリーやティールームにあるようなお菓子はどれも家庭で作るものばかりです。必ず家族のレシピがあって、街のベーカリーでもそれが受け継がれている。日本でいえばお味噌汁の味が家庭によって違うように、スコーンの味が違うっておもしろい」

手井さんが見つけたお気に入りの味わいは、きっとイギリスのどこかの家庭から日本にやってきている。

「台湾での経験もそうですが、好みは人の趣向によってそれぞれなので、全員がおいしいと思うものってないと思うんです。だから私は自分が見つけた好きな味を、頑固に貫いている。伝統的なお菓子だから作ろうとか、イギリスのお菓子屋さんならこれは作らないと、という気持ちではやっていません。本当に自分が食べたい味、自分が好きなものだけを作って、それを気に入っていただける。共感してもらえる。おいしいというのは作り手と食べ手が心で語り合うことだと思っています」

スコーンと狼の挿絵を見たあの日から、約28年。手井さんの好奇心とそこから見つけ出した味わいは一球ずつ、あのベルベットとミントグリーンのちいさなお店から投げられる。それは、食べ手の「おいしい」と思う笑みや気持ちとともにそっと打ち返されてきた。

Recipes from the trip

Welsh Cakes

手井梨恵さんの旅のレシピ

ウェルシュケーキ

【材 料】約14枚

A
- ・ベーキングパウダー…8g
- ・薄力粉…200g
- ・シナモンパウダー…小さじ1/4
- ・ナツメグパウダー…小さじ1/8
- ・ジンジャーパウダー…小さじ1/8

・バター(1cm角)…100g

B
- ・塩…1g
- ・卵…50g
- ・砂糖…55g
- ・ヨーグルト…10g

・カランツ…60g
・紅茶…適量
・グラニュー糖…適量
・油…適量

【下準備】

1.Aの材料をあわせてふるっておく。
2.カランツをぬるめの紅茶に15分間浸した後しっかり水気を切る。
3.Bの材料を混ぜておく。

【作り方】

1.下準備1にバターを入れ、指でバターをつぶしながら粉にすりこむ。
2.バターの粒が見えなくなりサラサラになったら下準備2と下準備3を加え、混ぜ合わせる(少しベタつくが、軽く粉をふれば麺棒でのばすことができる程度のやわらかさが目安。硬ければヨーグルトを追加する)。
3.麺棒で生地を約8mmの厚さにのばす。
4.直径6cmの丸型で抜いていく。
5.うすく油を引いたフライパンで4を両面がしっかりと色づくまで焼く。
6.焼き立てのうちにグラニュー糖をまぶして、できあがり。

11 PORTUGAL

around Portugal

おいしさは懐かしさを感じること

葡萄牙料理 ピリピリ 浦谷ゆりさん【ポルトガルを巡る】

炭火でじっくり焼かれるフランゴ・アサード

いつも自分を幸せにしておくことが、
料理を作る者の責任だと思っています

真っ白な漆喰の壁にアズレージョのタイルが映える店内。でも決して派手に飾られているのではなく、あくまでさりげなく埋め込まれた様子は主張しすぎず、シンプルななかにポルトガルらしさが見え隠れしていて、店主・浦谷ゆりさんの人柄が感じられる。カウンターに座って眺める、浦谷さんが一人で少しずつ料理をしていく姿は、ただただ「おいしいものを食べてほしい」という真摯な優しさを感じられる。

ここ「葡萄牙料理　ピリピリ」は２０２２年３月に横浜の馬車道へとやってきた。それまで姉妹で営んでいたお茶の水の「ぽるとがる酒場　ピリピリ」を、２０２１年12月に閉めた浦谷さんの第二章のはじまりだ。

浦谷さんは料理が好きな理由を「とにかくものを作ることが好きだから」と語った。高校生の頃、ガウディなどの建築に興味を持ったことから始まり、その後好奇心は庭づくりの世界へ。京都芸術短期大学へ進学し、造園を学んだ。けれども授業の一貫で、古い庭や御所の手入れをしていくうちに、「私には造園はできない」と思ったそうだ。それは、木をすごく好きになってしまったから。

「木のことを愛しすぎて、人間の美意識のために切るなんて無理！と思うようになってしまったんです」

次に目指した職業は、仏師だった。庭の勉強をするために京都のお寺へ足を運ぶうちに、仏像に惹かれるようになったのだ。浦谷さんは外弟子として仏像彫刻の職人に師事するようになった。しかし今度は愛猫に病が見つかり、仏師の道を諦めることに。

「治療に結構な金額のお金が必要だったので、稼がないといけなかったのですが、仏像彫刻の世界ではまだ弟子という立場。作品を売り込むことはできないですよね。じゃあ２番目に好きなことを仕事にしようと思って、それが料理でした」

思い返せば子どもの頃からお菓子づくりが好きだった。料理をすること自体、当たり前にしてきた好きなことであり、何の抵抗もなかったと語る。カフェのキッチンから、浦谷さんの料理の道はスタートした。お客さんはみな「おいしかった」と言ってくれるが、しかしどこか自信がつかない。

「カフェは雰囲気が重視される面もあると思うので、もっと料理だけに挑戦したいと思うようになりました。そこで、どの国の料理に興味があるかを考えてみると、国として当時一番好きだったのはガウディ

COMIDA ESPANHOLA ·········➤ COMIDA PORTUGUESA

の出身地であるスペインだったんです」

たまたま京都の街中を歩いていると、偶然にもスペイン料理店で求人募集の張り紙が。

「オーナーさんがとてもおもしろい方で、好きなことをやってみたらいいよという考え方で。日本食などのように、修行を重ねることでやりたいことをさせてもらう、という環境ではなく、敷居が低かったんですね。本当に恵まれた環境で、『これをやってみたい』と言ったことは何でもチャレンジさせてくれて。楽しかったことしか覚えてないぐらい。現地の料理を知るために、店のメンバーで何度もスペインへ足を運びました」

でも、浦谷さんは40歳になったら料理の世界を一度休止しようと考えていた。毎日日付が変わってから帰宅し、朝は10時までに出社する。自分ひとりだけでなく家族と暮らしていたが、家事はほとんどできない。協力を得て成り立っていたが、この生活をずっと続けられるのだろうか？　そう考えていたからだ。

「楽しかったスペイン料理店を辞めたタイミングで、親が暮らしているポルトガルで3ヶ月過ごすことにしました。その日々のおかげで、『ああ、私はやっぱり料理が好きだな。まだまだやりたいし、やっていけるんじゃないか』と思えたんです」

商社に勤務していた浦谷さんのおとうさんは、昔から海外出張や海外赴任が多かった。幼い頃浦谷さんも、家族でブラジルやパナマに暮らしたのだという。そんなおとうさんは大のゴルフ好きで、

01.02.ボリケイマにある［ピリピリ］にて

03.［ピリピリ］の近くには羊牧場など、のどかな雰囲気が広がっている

一年中好条件でゴルフができることで有名な、ポルトガルのアルガルヴェ地方にあるヴィラモウラという土地へ移住した。スペイン料理店を退職した浦谷さんに、ポルトガルで料理の現場を見たら？と提案したのは、このおとうさんだ。家族でも何度か訪れていた、ビラモウラの隣町・ボリケイマにある［ピリピリ］でポルトガル料理を見ることを勧めてくれた。［ピリピリ］は、ゴルフ仲間であるオランダ人のフランソワさんが経営しているレストランだった。

「このレストランはポルトガルの名物『フランゴ・アサード（鶏の炭火焼）』が看板料理の炭火焼きレストラン。シンプルでおいしさがダイレクトに伝わってくるひと皿が人気です。眼下には牧場が広がっていて田舎のレストランのような雰囲気も好きでした」

フランゴ・アサードはポルトガルの南部で食べられることが多い、昔からの料理だ。鶏を丸ごと串刺しにし、唐辛子をもとにしたソース・ピリピリを塗って、炭火で焼き上げる。

「炭場が必要なので家で作るというよりは、お店でテイクアウトする人が多いように思いますね。日曜日に家族で教会のミサへ行った後は、フランゴ・アサードとフライドポテト、ご飯がセットになったもの

をテイクアウトして、お家で食べる。そんな生活に根づいたお料理でした。ポルトガル料理は鶏肉だけでなくイワシの炭火焼きなど、シンプルな作り方のものが多いんです。スペインよりもずっとシンプル。手はこんでいないのに、「ピリピリ」のフランゴ・アサードはすごくおいしかったんですよ。厨房には二人の料理人がいて、一人は移民の方だったのですが、その方が作るフランゴ・アサードはとても繊細な焼き加減でした」

シンプルでありながらも、心の底からおいしさを感じるひと皿にポルトガル料理の魅力を感じていく。その好奇心は、思い返せばフランゴ・アサードだけでなく、ポルトガルの代表的な食材バカリャウにも自然と宿っていた。

バカリャウの歴史は大航海時代に遡る。諸説あるが、北欧のヴァイキングが獲った鱈を塩漬けにし、保存食としてさまざまな国へ向かう長旅に備えたそうだ。現在は、カマなど安く手に入るものは日々の料理に使われ、身のなかでも分厚い高価な部分はクリスマスなど特別な時に使用されている。浦谷さんが初めてポルトガルを訪れたの

comida portuguesa

frango assado

04.フランゴ・アサードのコツは時間をかけてゆっくりと焼き上げること

05.バカリャウのコロッケ。ほろっとくずれる食感と鱈の旨みが味わい深い

は、「ピリピリ」で働くもっと前のことだが、その時に口にしたバカリャウのコロッケを今でも覚えているそうだ。

「リスボンで、バカリャウがたっぷり入ったコロッケをひと口食べた瞬間、ああ懐かしい！って思ったんです。なぜなら、ブラジルを思い出したから。ブラジルに住んでいたのは、まだちいさかった頃なのでほとんど何にも覚えてないのですが、それでもコロッケを口にした瞬間何かがよみがえってきて。匂いや味わいというのは、実は心の奥深くに残っているものなんですね」

ポルトガル領だったブラジルでは、バカリャウを使った料理だけでなく、豆を使ったフェジョアーダなど、おそらくポルトガルに由来する料理がいくつもある。自分の中に残る記憶を食べ物を通して掘り出し、辿っていく。その気づきに、心が暖かくなりワクワクさせられた。

「この懐かしいという感覚は、すごく幸せな感覚だと思います。特にちいさい時の体の記憶は、守られていた時代の頃のものだから。その時の気持ちに立ち帰られるってすごく幸せなことだと思うんです。だから私も、自分が作った料理をお客様に出した時、『ああ、ポルトガルが懐かしい』って感じてもらえたらいいなと思っています。幸せな感覚を抱いてもらえるようなひと皿を作りたいと考えるようになりました」

「ピリピリ」の厨房を見てポルトガル料理に傾倒していった浦谷さんだが、飲食店を辞めようと思った理由の一つである働き方に対しては、どのような出口を見出したのだろうか。

「ビラモウラにある「ゴルフェソル」というレストランでも、厨房に通ってお料理を学ばせてもらったのですが、そこでは女性が厨房で働いていました。炭火焼き以外のお料理をたくさん見せてもらって。一人はアフリカのアンゴラ出身の女性だったのですが、「ラムの煮込み」などアンゴラ料理をランチで出すことも。その女性は料理が上手でどのメニューもおいしく作れるのですが、特にムアンバ料理には彼女らしさがあった。アイデンティティを忘れないという彼女の在り方が料理からも感じられて、心を打たれました。あと、ポルトガルのレストランの多くは家庭料理との区別がはっきり分かれていないように思うんですね。もちろん星付きレストランなどは、違うと

Cozinhas em Portugal

07

06

06.07.ポルトガルで目にしたキッチンでは、いつも女性たちが楽しげに料理を作りあげていた

思いますが。ここでは町の人たちは自分の馴染みの店を持ち、水曜日はこの店がバカリャウのフライを出す日、木曜日はあっちの店がフェジョアーダを出す日と記憶して、通い分けているようでした」

日本だと家庭料理とは違う味わい、プロの味わいを求めてレストランに通うことも多いだろう。でもこの町では、レストランは町の人の日々の食事を作るという役割を担っている。料理人として自分を表現するための渾身のひと皿を手がけるのではなく、この土地で暮らす人が自分の生活における当たり前の行為としてひと皿を作り、町の人々の生活を築いているのではないだろうか。

「街角の食堂やレストランの多くが、ご主人はホール、奥さんは料理という分担。その構成はスペインでもよく見かけました。それも私よりもっと年配の女性が料理人として働いている。日本で飲食店をしていると男社会だし体力勝負だと感じますが、彼女たちはもっと生活の延長のなかで料理を作っていた。その姿を見て、料理人は女性の仕事でもあるんだ、ということに改めて気づけたような。私も彼女たちのように料理を作っていきたいし、できるかもしれないと思ったんですね。朝から深夜まで働くのではなく、生活の一部として女性がお店を持って料理を出す。そういう場所を形づくりたいなと考えるようになりました」

自分の生活の一部として料理を作り、その生活の拠点となっている町の人に料理を出す。それはある意味、町の「おふくろの味」を作るような行為だ。

「ポルトガルでの経験は、食材に対する思いや考え方、調理法などよりも、働いていた人たちとの出会いが大きかったですね。彼女たちには、余裕があった。もちろん忙しい時間はバタバタしますが、それでもルーティーンをしっかり作って、移民の方も一緒に楽しく仲良く料理をしている」

料理を手がけることを生業とする新たな姿を教えてもらったような。そんなきっかけとなる出来事だった。

２０１４年、浦谷さんは「ぽるとがる酒場　ピリピリ」をオープンした。「スペイン料理は日本にたくさんあるし、せっかく「ピリピリ」でフランゴ・アサードを教えてもらったのだから、フランゴ・アサードを看板料理にしたポルトガル料理店をやりたい」と、フランソワさんを再び訪ね、名前に「ピリピリ」を入

08.ある日の前菜盛り合わせ。バカリャウのコロッケ、タコと豆のサラダ、ツブ貝の塩ゆで、サバの酢漬け、生ハムがひと皿に

れることを報告した。お酒を楽しむことを主軸にいくつものポルトガル料理を手がけた。しかしポルトガル通が集う賑やかな8年間は、ビルの老朽化とともに一度は幕を閉じる。そして2022年3月、浦谷さんは「葡萄牙料理　ピリピリ」を馬車道にオープンした。

「以前の店ではいろいろなメニューを作っていましたが、今はもっと一つのメニューを深めていきたいと思っています。ポルトガル料理は本当にシンプルなものなので、その一つひとつをよりポルトガルらしくしていくことを突き詰めたい。アレンジしたり付け足していくのではなく、もっと削ぎ落としていく。料理を食べて『ポルトガルが、懐かしい』と感じて欲しいから、日本らしさやアレンジはいらないと思うんです。〝私が作った料理〟とかそういうことでもなくて、ポルトガルを感じていただけるようなひと皿にしたい」

　シンプルであるからこそ、その表現は難しい。

「必要なのは心だと思いますね。究極なことを言えば、ポルトガルを感じてもらいたいという思いで作っていくしかないのかなって。それで、食べた方にどこまで通じるかということが、おもしろさでもあって。行ったことがない人がポルガルらしさを感じるというのは、矛盾しているかもしれませんが、本当にシンプルに突き詰めていくことで、伝わっていくものがあるのではないかと思います」

　浦谷さんは、自分にとってのポルトガルらしさを「飾らない」「出しゃばらない」「定番を守る」と語った。

「おいしいと感じる料理に必要なことって、私は安心だと思っています。自分のおかあさんの料理っておいしいじゃないですか。あれはちいさい頃から食べている味への安心感だと思うんですね。だから、安心ということはすごく大切なこと。『この人が作っているなら、安心』と思ってもらうことも大切。それには気持ちを込めて作ることが、私たちつくり手の役割だなと思います。いつも自分を幸せにしておくことが、料理を作る者の責任だと思っています」

お茶の水に店があった当時から、浦谷さんの料理を食べようとポルトガル大使館の人やモザンビーク大使館の人たちが訪れている（浦谷さんは日本で大使館公邸お抱えの料理人からモザンビーク料理を教わった）。それは、おいしい味わいだけでなく、どこか懐かしさや安心感を感じて、みな足を運んでいたということかもしれない。

「料理人という仕事は終わりがない仕事だと思います。ここまでいけば100%ということがない。自分自身もお客様も、幸せな気持ちになれることが重要で、目指すのは本当にそれだけなのかもしれません。一人で店をやるようになって、特にそう感じています」

お腹を満たすだけでなく、心を満たす料理店。その存在は子どものように包まれて安らげる料理と場を、街に作ることでもある。

O meu restaurante

09. ［葡萄牙料理 ピリピリ］。壁に並ぶ色とりどりのポルトガル陶器は、浦谷さんが長年かけて少しづつ現地で買い集めたもの

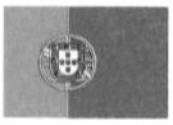

Recipes from the trip

Pastéis de Bacaihau

浦谷ゆりさんの思い出のレシピ

バカリャウのコロッケ

※バカリャウ(塩蔵の干し鱈)は手に入りにくいため、甘塩タラで作るレシピ。
甘塩タラに塩を振り一晩置き、水で洗って使用すると、よりバカリャウに近づく。

【材 料】約4人分

- 甘塩タラ…1切れ(120g程度)
- ジャガイモ(ひと口大)…120g
- 玉ねぎ(みじん切り)…30g
- 卵…80g
- イタリアンパセリ(みじん切り)…小さじ1
- 白胡椒…少々
- ナツメグパウダー…少々
- 油…適量

【作り方】

1. 鍋に1リットルほどの水を入れ、沸騰したら甘塩タラを入れる。火を止めて蓋をして、10分ほど放置する。

2. タラを取り出し(茹で汁は取っておく)、冷めたら皮と骨を取り除き、身をほぐす。

3. 取っておいた茹で汁で、ジャガイモを茹で、粉吹き芋にする。

4. 粉吹き芋を潰し、ほぐしたタラの身と玉ねぎ、イタリアンパセリを加えて混ぜ合わせる。

5. **4**へ溶き卵と白コショウとナツメグを加えよく混ぜる。味を見て、塩が足りないようなら好みで塩を足す。

6. 2本のスプーンで**5**を4〜5cmのラグビーボール状に丸めて形づくる。油を180度に熱し、丸めたタネを滑り入れ、全体がきつね色になるまで揚げて、できあがり。

12 ITALY

完結していないマルケ料理の魅力

Osteria La Cicerchia 連 久美子さん【イタリアに暮らす】

ちいさな小径が連なるセッラ・デ・コンティの町並み

料理を通して
出会った人たちとの日々を含めて、
マルケ料理が好き

イタリア中部のマルケ州。アドリア海に面した沿岸地域と、中世の街並みが残る旧市街が丘の上に広がる丘陵地帯からなるこの州は、日本では未だにあまりよく知られていない。でも見所もあり、例えばルネッサンス期の画家・ラファエロが生まれた街として有名なウルビーノは、その街並みが世界遺産へ登録されている。夏になれば、マチェラータやペーザロで音楽祭が。イタリアの文化・芸術面としての顔も併せ持っている。そんなマルケ州にあるちいさな町・セッラ・デ・コンティのリストランテで働いてきた連久美子さんは、日本へ帰国しマルケ料理専門の[Osteria La Cicerchia]を開いて2022年で10年目を迎えた。ミラノやローマなど多くの日本人が足を運ぶ都市ではなく、人口4000人のこの町を選んだ背景には、どのような出会いがあったのだろうか。

そもそも連さんがイタリアに興味を持ったきっかけとは？　遡ると、料理に興味を持ったのは小学生の頃だという。友人の家でお菓子づくりをしたことがきっかけで、作ることにどんどんハマっていった。大学卒業後、大阪の辻調理師専門学校へ入学し、調理師免許を取ろうと、普通科へ入学。そこで連さんが興味を持ったのが、放課後に開催されるイタリア料理のコースだった。シェフたちが毎回講師として招かれ、料理を教えてくれるコースだ。イタリア料理といえば、誰もが名前を知っているであろう落合務シェフや片岡護シェフ、そして山根大助シェフや日高良実シェフなど、今ではなかなか考えられないようなメンバーが講師として招待された。卒業後は、落合務シェフのリストランテ[LA BETTOLA da Ochiai]へ。想像を超える厳しい現場で「落合シェフからいろいろなことを学びたい」という気持ちで約3年間踏ん張った。でもその後、一度は別のジャンルへ。しかし離れたことでイタリアへの想いがさらに強固なものになった。それは長野県信州にあるお蕎麦屋さん[職人館]での経験が作用しているように思う。

ほとんど全てのメニューに、地元で取れるオーガニック食材を使っている[職人館]では、お店だけでなく食材を使った地域の町おこしなどにも尽力している。オーナーの北沢正和さんは、2016年には農林水産省の第1回「料理マスターズ・シルバー賞」の『全国5人の料理人』に選ばれた経歴を持つ。連さんは働いていたイタリア料理店のシェフを介して、この「職人館」で働くこととなった。

「朝4時起きだけど、一緒に山菜を獲りに行ってみるかい?と誘ってもらったり、新潟へ町おこしの手伝いに行ったり。『こういう食材があるけど、イタリアンだったらどう使う?』と聞かれて、メニューを提案したこともありました。それはもう、楽しかったです。近くの「ゆい自然農園」でも畑を手伝わせてもらえて、種から葉っぱや花まで全ての食べ方を教えてもらったり、どう切ったらよりおいしくなるかということや、植え合わせなど、たくさんのことを知りました。今まで都会に住んでいたので、野菜がどうやって育っていくのかも、当時は知識程度にしか知らなかったので、感動しましたね。野菜を作っている人は、その食べ方を一番知っていますから」

連さんはここで、「地産地消」という言葉を知った。そして、「スローフード」という考え方を知った。

「スローフードってすごいなあ、と言ったら、『何いってるの。イタリアが発祥でしょう』と、北沢さんに言われて。そこでぐっと、イタリア熱が戻ってきたんです」

その日から情報収集の日々が始まった。「地域に根づいた食材や食べ方、そしてそこにつながるイタリア人の生活を学びたい」と見つけたのが、イタリアのスローフード協会の存在だった。連さんは、協会が運営する学校「Ital.Cook」への留学を決める。目指すは、学校のあるマルケ州のイエジ。2004年、イタリアへと飛び立った。

料理人や料理にまつわる職の人々が、スローフードについて知ろうと世界各国からやってくる「Ital.Cook」。同級生はアメリカ人やイギリス人、インド人などさまざまだ……毎回イタリア各地のリストランテのシェフが講師となって、郷土料理を教えてくれる。いつでもどこでも同じようなものが味わえる現代において、その地域で作られる歴史や土地柄のある料理や食材を、いかに守り、味を伝えていくか、そんな意識を持った協会が運営する学校だからこそ、各地の豊かな風土とその味わいを、深く知ることができる。今では州や町名で認識されるが、イタリアにはもともとカンパニリズモという言葉があるそうだ。教会の鐘が聞こえる範囲が自分たちの暮らすテリトリー。そこには仲間意識があって、同じ町に暮らすものとして、そこで生まれる食材や文化を誇りに思い、大切にしているのだ。

「3ヶ月間学校で学んだあとは、学校が手配してくれるステージでの実習に参加ができるので、まずはヴェネト州にあるロカンダ(宿泊施設を併設したリストランテ)へ行くことにしました。客室の一つに寝泊まりして4ヶ月の滞在です。授業でヴェネト州はスパイスをたくさん使うことを知って興味を持ったんですね。もともとヴェネト州はインドとの交流があって、サンタルチア港にスパイスが届き、そこからヨーロッパの各地へ広がっていったそうです」

中世には海洋都市として繁盛したヴェネト州。連さんのステージは、北部ヴェネト州のパドヴァ県にあるちいさな町、ロレッジャの［Locanda Aurilia］というロカンダで始まった。ロレッジャはパドヴァとカステルフランコ・ヴェネートの間にあるちいさな町。町を一周しようと思えば、20分くらいで周れてしまう大きさだ。ロカンダの隣には教会が位置し、朝になると鳴り響く教会の鐘の音が、連さんの目覚めの合図だった。

「家族経営のお店で、もともとはマンマがシェフとして料理をしていたんですね。今はその息子兄弟がオーナーとシェフを務め、娘さんも一緒に働いています。マンマはよく店を見に来るのですが、私はイタリア語がまだ完璧ではないので、すごいスピードで話すマンマの言っていることがわからなくて」

Una piccola città

01.人口約7,700人が暮らすちいさな町・ロレッジャ

しかし、ある日を境に徐々にマンマと連さんの関係は近づいていった。休日にたまたま店に残っていた連さんを見つけ、「料理を教えてあげる」と言ってくれたのだ。

「マンマは、息子たちにも絶対にレシピを教えないんですよ。墓場まで持っていくと言っているそうです（笑）。なので、教えてあげると言われるたびに、これはチャンス！と外出をやめて、マンマの言う通りに料理を学んでいきました。昔の人のシンプルな料理や食べ方を、教えてもらったように思います」

カーニバルの時期に作る揚げ菓子ガラニを教えてくれたこともあった。薄く伸ばした生地を揚げ、砂糖やアルケミスのシロップをかけた郷土菓子だ。その後しばらくして、ガラニをつくる連さんを見て、シェフである息子たちは「えっ、レシピを教えてもらったの?!」と驚きの表情。「日本人だからいいよって言われて」と話す連さんに、「もしマンマが亡くなってしまったら、久美子に電話してレシピを聞くことにするよ」と、笑いながら言った。

約束の期間が終わりを迎える頃、次の行き先に思いを巡らせた。その時浮かんだのが、学校でマルケ州の郷土料理を教えてくれた、シェフのマルコさんだった。ウサギのインポルケッタやパスタのクレッシェタィアータ、オリーブのフリットなど授業で学んだ料理を思い返す。学校に講師として訪れたマルコさんの料理は、特に肉料理が抜群においしかった、と。郷土料理に洗練さも備えたひと皿。マンマたちが作る料理とはまた違う、味わいだった。

「シェフのお店で、ステージで働くことはできますか？」

「ちょうど独立して自分の店をオープンするところだから、開店する4月になったらおいで」

連さんが、マルケ州に舞い戻る時がやってきた。

標高217mの丘の上にあり、中心地は城壁に囲まれるセッラ・デ・コンティ。14～16世紀の建築物や19世紀の建築物など、さまざまな時代のものが混じり合う町並みは、ちいさいながらもそこで培われた豊かな歴史を感じさせる。周りには生産者も多く、ワインの生産地でもあり、保護原産地呼称ワインであるD・O・C・Gを獲得するワイナリーなども。この地で作られる古代豆のチチェルキアは、スローフード協会の絶滅危惧食品に選

Un piatto di coniglio

02.ウサギのインポルケッタ
03.04.セッラ・デ・コンティでは毎年、チチェルキア祭りというお祭りが開かれる

La festa della Cicerchia

Buono

05.［Coquus Fornacis］。左の建物が屋内の客席、右の建物は昔、床用の大きなタイルを焼く窯だった場所をリフォームし、テラス席にしている 06.マルケはワインづくりも有名。写真のナタリーノさんはマルコさんの友人でもあり、近くのモンテカロットという町でワイナリーを営む

ばれ、毎年11月には「チチェルキアの祭り」という祭りも行われる。連さんが通っていた「Ital.Cook」の学長は、スローフード協会のマルケ支部長でもあり、学校を退職した現在、チチェルキアづくりに精を出しているそうだ。

連さんは、このセッラ・デ・コンティにある、シェフのマルコさんがオープンした［Coquus Fornacis］というリストランテで経験を積んだ。オープニングと同時に店に入り、シェフとスーシェフ、カメリエレ（給仕人）、連さんの4人で店が始まった。「仕込みはほとんどやらせてもらったし、前菜はも

Stanno preparando
i piatti ottimi!

07.前菜を作るシェフのマルコさんとシモーネさん 08.ウサギのポタッキオ。写真は南マルケのもの。トマトやオリーブ、パプリカを入れて煮る 09.仕込み中のマルコさん

ちろんパスタもセコンドも。ここでは近所の人が作っているチーズや野菜など、地産地消のものを多く取り入れているので、素材一つをとっても味が全然違って。例えばチーズも、今まで使っていたパルミジャーノやペコリーノロマーノとは全然違う。口にした瞬間思わず、『うまっ!』って声が出るような。マルコが仕入れに行くたびに、『私も!』と連れて行ってもらいました。マルコは、できればすべてこの町で仕入れたものを使いたいというくらい地元愛が強く、生産者のみんなも同じように作ったものを誇らしく思っているように感じます。みんな昔からの知り合いで、地元愛と自産物愛に溢れている。マルケ州の郷土料理はおもしろいんですよ。同じ州内でも北と南では料理が変わる。同じ名前のレシピでも材料が違ったりするんです。たとえばウサギのポタッキオは、マルコの店や北部ではローズマリーとニンニク、白ワイン、ジャガイモを使うのですが、南に行くと、ジャガイモでなく唐辛子、パプリカ、トマトソースを使う。これって本当に同じ料理?というくらい、全然違う」

その違いは料理だけでなく、お菓子においても

10.甘しょっぱい味わいでお酒にもコーヒーにも合うカルチョーネ。連さんのカルチョーネは中にペコリーノとパルミジャーノを入れた王道のもの
11.12.連さんは［Coquus Fornacis］のテラス席で行なった催し「パスクアの朝食」で、初めてカルチョーネを作ったのだそう

同じだ。イタリアではパスクア（復活祭）と呼ばれるキリスト教の伝統行事があるが、それを例にとってみよう。パスクアでは朝ごはんを贅沢にとることが多く、マルケ州ではカルチョーネという郷土菓子をいただく。ペコリーノ、パルミジャーノ、オレンジピール、砂糖、卵をクッキー生地で包み込み焼き上げると、中からふわっとフィリングが。しかし同じマルケ州のチビタノーヴァという町に行けばカルチョーネの中身は、リコッタチーズやシナモン、松の実に変わり、見た目もメロンパンのよう。そんな郷土菓子や郷土料理の現状を見てみようと、連さんは自転車とバスを駆使して、さまざまな町へ出向いた。そういえば自転車での移動にも、マルケらしいエピソードが。

「ある日マウンテンバイクを使って買い物に向かっていると、道中の畑でおばあちゃんが一人で何かを摘んでいたんですね。何か料理に使うものを摘んでるんだろうなって、じーっと見ていたら『お前、誰だ？』と。『料理の勉強をしにきていて、［Coquus Fornacis］という店で働いているんです。今は、隣町に行く途中で』と説明していたら、『隣町って、その自転車で!?』と驚く声が。『水を飲んでいかないと、暑いから死んじゃうよ』って、ミントのリキュールを入れたコップ一杯の水をくれたんです。隣町へは欲しかったパンと、ビジョラという野生のさくらんぼのジャムを買いに行ったのですが、お礼に彼女にも買っていってあげようと思いつきました。帰り道、彼女の家に寄ってみると誰もいなかったので、お礼とお店の住所を書いたメモを一緒に置いていったんですね。そしたらその後、店にお礼の電話がかかってきて。息子さんが車を運転して彼女をお店に連れてきてくれたのですが、『夜は暗くて危ないから、お前はこれを着なさい』って、オレンジ色のジャケットをくれました。よく、イタリア人が工事現場で着ている、反射板がついているジャケットです（笑）。それがきっかけで、ことあるごとに彼女の家に遊びに行くようになりました」

セッラ・デ・コンティでは、こんな風にまったく知らない人が優しくしてくれる。連さんがマルケ州に惹かれる理由は、一つは人々の愛情深さなのではないだろうか。

「州内で北と南でレシピが違うのはもちろん、人によって違うことも。マルケ料理は完結していないことがおもしろい。そして何より、マルケの人は親しみやすくて優しい人ばかりなんです。作り方を聞くとみんな『え？　聞きたい？　これはねー』って嬉しそうに教えてくれる。もちろん料理には工程や味付けが大切ですが、記憶に残る料理って結局は食べた人や作った人、食べた時のシーンが大事だなと思うんです。だから私は、料理を通して出会った人たちとの日々を含めて、マルケ料理が好きなのかもしれません。素朴だけど、自分と合うと感じる瞬間がたくさんある。マルケの人々との出会いや彼らしさを崩さずに、これからもマルケ料理を出していきたいと思っています」

２０１８年、マルケ州から［Osteria La Cicerchia］にある贈り物が届いた。

「あなたの店はマルケ料理専門店です、という認定証が届いたんです。突然マルケ州からそんな証書が届くと思ってもみなかったので、びっくりしました」

店内には、額装された証書が守神のようにかかっている。

13.連さんと［Coquus Fornacis］でともに働いたルイーザさん

Recipes from the trip

Calcione

連久美子さんの思い出のレシピ

カルチョーネ

【材 料】約20個分

外側の生地

- 小麦粉(0粉)…300g
  ※ふるっておく
- 卵…全卵1個、黄身1個分
- レモンの皮(削ったもの)…1/2個
- 溶かしバター…60g
- グラニュー糖…80g
- 塩…ひとつまみ

中身の生地

- ペコリーノチーズ粉…160g
- パルミジャーノ・レジャーノ粉…40g
- 卵…2個
- オレンジピールの砂糖漬け
  (細かく刻む)…25g
- グラニュー糖…70g

【下準備】

中身の生地

1.全ての材料を混ぜ合わせてひと晩ねかせる。

外側の生地

1.全卵とグラニュー糖、溶かしバター、レモンピールを合わせる。

2.小麦粉を台に広げて真ん中を窪ませ、1を真ん中に落としながら粉と合わせていく。

3.生地をひとまとめにして1時間ほど休ませる。

【作りかた】

1.外側の生地を麺棒で厚さ2mmほどに伸ばし、直径約15cmのセルクルで抜く。

2.真ん中に中身の生地を置いて二つ折りにし、溶いた卵黄で接着してフォークで押して口を閉じる。

3.表面に溶いた卵黄を塗って、上をハサミで十字に切る。180度のオーブンで15分ほど焼いたら、できあがり。

13 ITALY

live in Italy

土地に根づく物語を郷土菓子に詰め込んで

Litus 塩月紗織さん【イタリアに暮らす】

カーニバルの時期に食べられる、
サクサクの揚げ菓子・キャッキャレ

背景を伝えるために
過度なアレンジはしないように

01.ここだけ異国の空気が漂う、真っ白なデザインの[Litus]

もちっとした食感にふわっとした弾力が続くボンボローニ。口のなかには、リコッタチーズとそれを包む生地の軽やかな甘さが広がっていく。筒状のカンノーリをかじれば、香ばしいザクッとした生地にリコッタチーズのさっぱりとした甘さとピスタチオの濃厚な味わいが混ざり合う。イタリアの郷土菓子には、その土地を思わせるような豊かさがある。

東京の新富町のオフィス街に真っ白に映えるイタリア郷土菓子店[Litus]。店主の塩月紗織さんが、地元であるこの街へ２０２１年に開店させた。料理の道へ進んだのは25歳の頃。仕事を辞めて、大好きだった料理を生業にしようと決意した。

「ちいさい頃から料理は好きで。自分でお菓子のレシピ本を買ったりして、クッキーやガトーショコラを作ってみたり、シフォンケーキを作ってみたり。純粋に上手に作れると嬉しくって。みんなも喜んで食べてくれましたしね。でも高校生の頃、スーパーモデルブームがあってヘアメイクの仕事にも憧れていたんです。だから料理と美容系で進路を迷ったのですが、美容系の専門学校へ進学し就職しました。でも仕事が忙しくて自炊もできないし、だんだんと料理ができないことがストレスになってきて。やっぱり料理の仕事がしたいと考えるようになったんです」

このまま年月が経てば方向転換が難しいかもしれない。そう感じた塩月さんは思い切って仕事を辞めて、調理師学校へ進学。和・洋・中と幅広く学び、卒業後はフランス料理店へ就職した。

「学生時代にアルバイトしていたお店の系列店で働き始めました。初めは前菜などを担当していたけれど、そのうちデザートの担当になってお菓子を作るように。でも建物の取り壊しが決まって、店が閉店することになったんです。運良く同じビルのイタリア料理店で働いていた顔見知りのシェフが店に誘ってくれて、イタリア料理店で働くことが決まりました」

フランス料理店で働いていた時と同じく、担当はデザート。最近はマリトッツォなどイタリア郷土菓子が注目されつつあるが、当時日本ではパンナコッタやティラミス、モンブランなどまだ限られたスイーツしか知られていない。

「フランスの郷土菓子は当時もいくつか本が出ていたのですが、イタリアの本は全然なくて。調べてもなかなか情報に出合えない。それなら実際に自分で現地に行って、見てみたいと思うようになりました」

働きながらイタリア語教室へ通い、少しずつイタリア行きの準備を始めた。5年後の2011年、塩月さんはイタリアはシチリア島へ飛び立った。

「先輩たちの協力もあって働かせてくれるレストランが見つかったので、シチリアへ。シチリアには2年しかいなかったのですが、すごく印象強い街でした」

茶色や白の石造りの街並みは、アラブ・ノルマン様式と呼ばれるシチリア独特の建築物たちによる。かつてアラブ人やノルマン人勢力が征服し、独自の文化を築いていったシチリアでは、料理やお菓子にもその面影が色濃く残り、さまざまな香辛料が使われている。

02.ラグーサの近くにある町シクリにて。ここでもバロック様式の建築が並ぶ

Una pasticceria regionale italiana

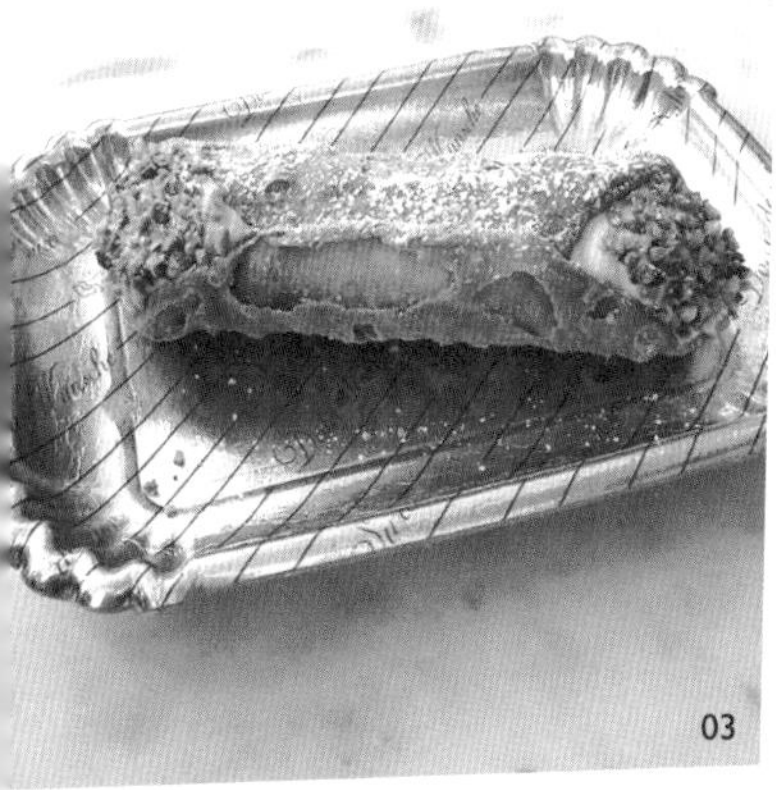

03

04

03.ラグーサにある[Dona juto]のカンノーロ。昔ながらの伝統的な郷土菓子を作る店なのだそう
04.[Litus]では毎日約50個のカンノーリを仕込んでいる

「カンノーリも、もともとアラブから影響を受けたお菓子のようです。日本で働いていた時も、よく店へ食べに来るイタリア人から『カンノーリが食べたい』と言われて作っていました。当時はそのおいしさがいまいちわからなかったのですが、シチリアで初めて食べた時のおいしさと言ったら。生地もそうですが、何よりリコッタチーズのおいしさが格段に違う。シチリアはリコッタチーズの産地なのですが、街の人たちはみんなチーズ屋さんで出来立てのリコッタチーズを買うんです。湯気の出ているような状態のリコッタチーズを、ザルのような網目のあるケースに入れてもらって、ビニール袋に入れて。それは日本で言えば、お豆腐屋さんから豆腐を買って帰るような光景でした」

同じくリコッタチーズの入ったカッサテッレも、忘れられない思い出の味になった。「甘いラビオリ」とも呼ばれるシチリアの郷土菓子だ。揚げた生地のなかから新鮮なリコッタチーズが顔を出す。土地のものを存分に味わうという喜びを知った。

「日本でも食材の季節感は大切にしますが、イタリアはそれ以上だと感じます。例えば山菜を山までとりに行くのは当たり前で、食を本当に大切にしている国なんだと思うようになりました。あと、シチリアは惣菜パンのようなパン文化が意外と豊かで、ピザパンのようなパンもあればリコッタチーズの入ったねじりパンのようなものなど、さまざま。

とってもおいしいんですね。いつか店でも再現したいです。ストリートフード文化も根づいていて、なかにお米の入った揚げ物・アランチーニなど、手軽でおいしいものが街中に溢れていました」

ストリートフードの忘れられない思い出には、南イタリアのナポリでも出合った。

「ナポリの郷土菓子にスフォリアテッラというお菓子があるのですが、専門店がやっている屋台が街中にあって。できたてで熱々のスフォリアテッラは生地がパリパリ！　ここでもなかにリコッタチーズが入っていて、とびきりおいしかったですね」

イタリア語で「ひだを何枚も重ねた」という意味のスフォリアテッラは薄いパイ生地のような生地が何層も重なった、貝殻のような形をした郷土菓子。朝食にはもちろん、街の人の暮らしに欠かせない伝統菓子だ。こうして塩月さんは、郷土菓子の魅力にどんどん引き込まれていった。

「料理もですが郷土菓子はさらに、歴史や宗教の影響が強いと感じるようになりました。たとえばキリスト教の四旬節の前に揚げ菓子をたくさん食べるのも、断食を前にして体がもつように一気に摂取するため。パスクア（復活祭）の際は、復活を祝って甘いものを食べるなど宗教行事に即した形で、それぞれの日にそれぞれの街で紐づくお菓子がある。その背景を知っていくうちに、歴史背景を持つ郷土菓子を伝えていきたいと改めて思うようになったんです。なるべく現地の味や作り方に忠実に、でも食べやすく。背景を伝えるために過度なアレンジはしないように心がけています」

アラブ文化を由来に持つカンノーリも、もとはラードを使って揚げられており、今はサラダ油で揚げる人も多いそう。[Litus]ではラードで揚げない代わりに、生地にラードを使っている。時代が変わって、必須ではなくなったやり方も、形を少し変えて要素を取り入れることで、レシピとしてだけでなく文化的背景も受け継ぐことができる。それが郷土菓子のストーリーとして後世に残されていく。

「実はカンノーリにもいろいろな種類があります。例えばパレルモではリコッタチーズクリームのなかにチョコチップを入れたり、サイドのクリーム部分の片方にはチョコチップ、片方にはオレンジを。私はピスタチオを使った、ラグーサ地方の伝統的なカンノーリを作っています。ラグーサ地方は、私がシチリアで一番長く暮らした街・シラクーサの近くに位置しているのですが、そこで取れるブロンテ産ピスタチオは世界最高級の味。風味や色味も他のピスタチオとは全然違って、これをふんだんに使うラグーサの伝統的スタイルが一番好きなんです」

シチリアのパレルモ、リカータ、シラクーサで2年過ごした塩月さんは、北イタリアへ。ロンバルディア州のガルタ湖近くに位置するホテルや、トレンティーノ＝アルト・アディジェ州の山塊ドロミテ近くにある三つ星リストランテでドルチェを担当した。

「北イタリアは南よりも発酵菓子が盛んで、パネットーネやパンドーロなどさまざまな発酵菓子に出合いました。おもしろかったのが住んでいた地域が、北にも関わらず地中海性気候のエリアで、レモンやオリーブが盛んに作られていたこと。レモンの季節になるとオーナーがレシピとレモンをくれて、よくトルタ・リモーネというケーキを作っていました」

塩月さんは、2018年に日本へ帰国した。代官山に新たにオープンするスターバックスのプリンチに誘われたことがきっかけだった。スターバックスのなかでも、イタリアのパンやドルチェが楽しめる当時新業態の店だ。

「イタリアが肌に合ってたと思うんですね。どんなに言葉がしゃべれてもその国に合わなければすぐ帰ってしまう人はたくさんいて。私はイタリアの良くも悪くもおおらかなところがすごく合っていたと思います。シチリアでは例え仕事の場でも業者さんが1時間遅れてくることは普通にあって、それでもみんな『しょうがないね』というぐらいで気にしてない。心にゆとりがあるというか。ミラノな

Un caffè?

05.ブレーシャでは、イタリア菓子の第一人者・マッサーリによる[IGINIO MASSARI]へ。カプチーノとカーニバルのお菓子をいただく

Mangiamo i dolci italiani!

06.[Litus]では、シチリアのクリスマスのお菓子ブッチェラートも 07.リコッタチーズ入りのボンボローニ 08.店名の[Litus]はラテン語で渚。海に囲まれたシチリアをイメージして

ど北部では、そういうことはほとんど起きないですが。だから私は、仕事の誘いがなかったら、わざわざ日本に帰国してなかったかもしれません。日本へ帰るいいタイミングかもと思って、引き受けることにしたんです」

日本で働くうちに、自分の店を持ちたいと思うようになった。もっと郷土菓子に特化したイタリアのバールの雰囲気のような店を。

「朝早くから開いているイタリアのバールのようなイメージでお店をやりたかったんです。朝6時からクッキーやパンが並ぶ店内で、地元の常連さんが静かにコーヒーを飲んでいる、そんなバールの風景がとても好きで」

州や街ごとに個性が変わるイタリアだが、バールに関しては各地で同じような風景を目にすることができるだろう。開店と同時に（もしくは開店作業の隣で）高齢者が集い、7時頃になると学校に行く前の若者や出勤途中の会社員など、さまざまな世代がバールに集いカウンターに立ち、朝ごはんとコーヒーを頼む。店内では嵐のように注文が飛び交い、一人ひとりの希望にバリスタが応えていく。甘いお菓子とこだわりいっぱいのコーヒーで朝

I DOLCI
ITALIANI
SONO
VERAMENTE
DELIZIOSI.

09.［Litus］では焼き菓子と生菓子を合わせると、毎日20種ものイタリア菓子がいただける。エスプレッソと一緒に味わって

支度を済ませた住人たちは、それぞれの一日を始めるために颯爽と店を後にする。午後には休憩やランチでバールを訪れる人、夕方には夕飯前のアペリティーボを楽しむ人の姿。住人の生活の一部だからこそ、時間帯によってさまざまな活気がある。そして必ず迎え入れてくれるような暖かさもある。時には知らない人と肩を並べてコーヒーを。バールで過ごすひとときは、一日の一部を誰かと共有しつながるような時間かもしれない。

「朝ごはんの定番である揚げ菓子のボンボローニはシチリア風にリコッタチーズを入れて。他にはカンノーリやブッチェラートなど、シチリア郷土菓子をメインに今まで出合った郷土菓子を置こうと決めました。イタリアの郷土菓子はいまだに知られていないものが多く、フランスのお菓子に比べれば華やかさも少ないかもしれません。でもその土地の背景を背負ってきたお菓子たちばかり。ぜひそのエピソードも併せて、食べてもらいたいと思っています」

　イタリアのお菓子が素朴で無骨、控えめな見た目なのは、その土地で暮らす人たちが家庭で作り続けてきたものだからこそ。一つひとつに込められた物語を広める塩月さんの活動は、まだ始まったばかり。

Recipes from the trip

Torta Limone

塩月紗織さんの思い出のレシピ

レモンのケーキ

【材 料】20cm型分

- 薄力粉…220g
- レモンの皮(すりおろし)…2個分
- 無塩バター…200g
- 全卵…4個
- グラニュー糖…220g
- ベーキングパウダー…小さじ3
- 塩…ひとつまみ

〈上にかけるアイシング〉

- レモン果汁…2個分
- 粉糖…250g

【作り方】

1. レモンの皮、無塩バター、グラニュー糖をボウルに入れて混ぜあわせる。

2. ときほぐした全卵を少しずつ**1**へ入れて、塩を入れてさらに混ぜる。

3. 薄力粉、ベーキングパウダーを合わせてふるって、**2**へ入れる。

4. 20cmのパウンド型に入れて、170°に熱したオーブンで約20分焼く。

5. 天板を回転させて、様子を見ながら5分から10分焼く。

6. 冷めたら型からパウンドケーキを取り出す。アイシング用の粉糖とレモン果汁を合わせ、ケーキの上からかけて、できあがり。

14 MOROCCO

モロッコ料理への探究心が全ての道を切り開く

around Morocco

エンリケマルエコス 小川 歩美さん【モロッコを巡る】

初めて見て小川さんがときめいたタジン鍋が並ぶ風景。炭火でのんびり調理をしている様子は、効率的なことばかり考えて暮らしていた自分に『大切なことを見落としていないか』と問いかけてくるような光景だったという

今日はどんなにおいしいものが作れるだろう？
そんな気持ちで、やってるんです

大学生の頃、春や夏の長い休みを使ってバックパック片手に各国へ旅立つ。『深夜特急』に憧れた多くの若者たちと同じように、小川歩美さんもさまざまな国へ一人で旅をした。初めてモロッコに行ったのは大学4年生の時。「私が行った国のなかで、一番人が優しかった」と語っている。

子どもの頃から食べることに興味が強かった小川さんが、旅先で特に興味を惹かれたのはやはり食事のこと。この料理はどうやって作るのだろう？　自然と湧いた疑問を行く先々で投げかけてきた。たいていは作り方を教えてくれたり、台所を見せてくれる。英語が通じなくても、工程を見ながらメモをする。なかでも、そんな小川さんを一番快く台所へと招き入れてくれたのが、モロッコの人たちだった。

「だから料理学校に入らなくても、モロッコだったら料理を勉強できるだろうなって思ったの」

その記憶は社会人になってもずっと小川さんの心のなかに残り続けたようだ。２０２２年、小川さんが東京の東北沢に店を開いて13年が経つ。

洋食店でコックを務めていたことがある祖父と、その味で育った母の手料理を食べてきた子ども

01

أول مرة في المغرب

Première fois au Maroc

01.小川さんが最初に住んだ街・フェズのブー・ジュルード門。旧市街のフェズ・エル・バリの玄関口で12世紀からあるという

時代。台所は母の聖地でもあり、お手伝いをして料理を覚えたという記憶はない。ただ幼いながらも、祖父が作った料理と母が作った料理は、何か違うと感じることがあった。

「祖父が作った料理は、エッジが効いていたの。だから、母の料理を食べながら『もっとこうしたらいいんじゃないの？』と子どもながらに言ったものです（笑）」

大学生になり東京で一人暮らしを始めた小川さんは、堰を切ったように料理を楽しんでいく。

大学卒業後は、一般企業へ就職した。でも社会人になって半年後には、「この仕事は好きじゃない」と気づく。もともと好きだった料理の仕事に携わりたいと、働きながらフードコーディネーターの学校へ入学した。学校を卒業すると同時に会社も退職した小川さんは、料理業界の道へ。知人を介して料理家や、フードスタイリストのアシスタントとなり、CMの撮影や雑誌の撮影など、さまざまな食の現場で学ぶ機会を得ていった。着実にステップを踏んでいくような小川さんの姿は頼もしい。でも、ある時その夢はまた変化を遂げる。

「アシスタントとしていろんな現場へ行っていました。ある日、カップ麺のCM撮影に参加して、何時間もかけて麺を艶やかに撮っているのを見ていた時、思ったんです。私がやりたいのは、これじゃないって。"美しく見せる"ためでなく"おいしく食べる"ことが好きなのだって。しっかり料理をやりたい、そう思ったんです」

さまざまな現場に携わったからこそ実感したことは、日本料理やイタリア料理、フランス料理など、各料理の世界ではすでに第一線で活躍する料理人が多くいるということ。料理人として自立して働いていくには、彼らが作れない料理を作れるようにならなくてはならない。今まで足を運んだ国のなかで、とてもおいしく、かつ日本人が手がけていない料理はどこの国だろう。そう、ここで小川さんが出した答えはモロッコだ。東京の家を全て片付けて実家に荷物を送り、小川さんはモロッコへ旅立った。

タジンやクスクスなど、日本でも近年広まってきているモロッコ料理だが、当時はもちろん全然知られていなかった。小川さんは、初めて食べたモロッコ料理のことをこう語っている。

「22歳で初めてモロッコに行った時、ラバトという街の食堂で食べた『鶏肉のタジン』が、それはもうおいしくて。日本にはタジンという単語を知っている人も当時いなかったし、『いったい、このおいしい料理は何なの?!』という感じでした(笑)。食堂のおじさんに尋ねたら、翌日家に招いてくれておかあさんの手料理をいただきました。モロッコ料理はスパイスを使うことが一つの特徴だけど、実はもともと私はスパイスが嫌いで、子どもの頃はカレーでさえ食べられなかったんです。インドに行った時も『おいしい!』と心から感動する料理になかなか出合えなかったの。でも、モロッコでは『おいしい! なんでスパイスを使っているのに、こんなにおいしいんだろう!?』って。どの料理を食べても、

02.タジンを作る食堂のおじさん。この手の食堂にはおじさんの調理人も多い　03.タジンは中心部に肉(鶏か牛か羊)を、その上に野菜を放射状に並べる

野菜やお肉など食材の味わいがしっかり残っている。スパイス使いの天才だと思ったんです」

モロッコは食材の宝庫。全ての食材の味が濃い。料理自体は、スパイスやハーブ、オリーブオイルを使って作られるが、そのスパイス使いは香りや色づけ、臭い消し程度に少量使うだけなのだという。小川さんはそれを、「食材に花を添えるぐらいの役割」と語る。

東京の住まいを引き払って「モロッコ料理を勉強しよう」と、小川さんが最初に訪れた街は古都のフェズ。どこかのレストランへ所属することが決まっていたわけでもないから、貯金を崩しながら料理を学べる場所を探す日々の始まりだ。気になるレストランを見つけては扉をたたき、「モロッコ料理を勉強しに日本から来たから、キッチンを見せてほしい」とお願いする。もちろん初めはアラビア語ができなかったから、英語が通じるようなツーリスト向けのレストランから始め、キッチンで手伝いをしながらだんだん料理や言葉を覚えていった。

旅人として訪れた時は、道に迷って立ち止まっているだけで、いろんな人が手を差し伸べてくれ

04.初めて働いたフェズの新市街のレストラン［ZAGORA］の厨房と料理人

مطبخ مغربي

05.2軒目に働いたフェズの旧市街のレストラン[ALFASSIA]。厨房のおばちゃん達と休憩室にて 06.レストランの合間に通った職業訓練所のようなモロッコ人向けの料理教室。「先生が怖かった」そう

たが、住人となってからは毎日が戦いだ。人々の優しさが変わったわけではないけれど、日々、日本の10倍のエネルギーが必要だった。

「住むことは、観光客ではなくモロッコ人と同じ目線で生活すること。イスラム教の風習に加え、女性でしかも外国人の私が、何かを主張して実行するのに、ものすごく労力と時間がかかるんですよ。何度、モロッコ人と結婚しようと思ったことか(笑)」

全くわからなかったアラビア語は、聞き取りながら単語を覚えていく。知ってる単語をつなげながらなんとか会話する。しかし1年経ったある日、突然フレーズが口から出るようになった。

「自分でも驚きでした。不思議なことに、アラビア語しかしゃべらない環境に身をおくと、自然としゃべれるようになるんですね」

「モロッコ料理を学びたい」というたった一つの思いで、小川さんは自分の生活を切り開いていった。運良く、現地の日本人経営の会社がビザを出してくれることになり、そこの仕事を手伝いながら、平日の午後や土日にレストランのキッチンへと立つ生活が続いた。その合間には、友人や知人宅の台所へおじゃまして料理を習った。

当時小川さんが毎日欠かさず見ていた料理番組があった。その番組はモロッコの著名な料理家であるシュミシャ（Choumicha Chafay）さんが、伝統的なひと皿から現代的なひと皿までさまざまな料理を教えてくれるというもの。当時モロッコ人でシュミシャさんを知らない人はいないというくらい、有名だったという。フレンチのテイストを入れたひと皿など、その創造性に小川さんも惹かれていく。テレビを見ていた人のほとんどは、その番組からレシピをメモすることで終わるだろう。でも、小川さんは違う。「彼女に料理を習いたい」と、ある時テレビ局に電話をかけたのだった。

「日本からモロッコ料理を勉強しにきていて、彼女の番組がとても好きで、どうしても会いたいから連絡先を教えて欲しいと、アラビア語で伝えたんです。日本ではまず無理なお願いですが、当時のモロッコではそれが通用して。シュミシャの会社の電話番号を教えてくれたんです。すぐさま電話してみると『じゃあ一度いらっしゃい。ちょうど来週番組収録がここで1週間あるから、来てみたら？』と」

場所はカサブランカ。1ヶ月分の番組を1週間で収録する。ハードな現場ではあったけれど、胸の高鳴りは止まらなかった。なぜならシュミシャさんの料理は、今まで食べてきたモロッコ料理と全然違ったからだ。

「彼女の料理は、エッジが効いていて本当においしかったんです」

その後、手伝っていたフェズの会社を辞めることとなった小川さんは、「カサブランカに移って、シュミシャさんの下でどうしても働きたい」と考えるように。特に約束があったわけではないけれど、フェズの荷物を整理して、カサブランカへ旅立とうと決意した。

「シュミシャの下で働きたかった他にも、カサブランカには働いてみたいレストランがあったんです。そこは雑誌でシュミシャが紹介していたレストランで、お庭で育てたハーブを使って調理するガーデンレストラン。伝統的なモロッコ料理の店でした。まずはそこで働いてみたいと、シュミシャの会社に行って、紹介してもらえないか相談したんです」

行動が夢を叶えるというのはまさにこういうことではないだろうか。シュミシャさんは快く小川さんをシェフにつないでくれたそうだ。翌日から、そこ[La Sqala]の厨房で働くことになった。

من فاس إلى الدار البيضاء

De Fès à Casablanca.

07.初めてシュミシャさんに会った日。毎日テレビで観ていた彼女のキッチンスタジオにて

「入ってみてわかったのですが、そこのレストランは個人経営ではなく会社経営のレストランで、モロッコ料理の他にスペイン料理やフランス料理のレストランも手がけている大きなところでした。もちろんビザを支給してくれるわけではなかったので、無給で学びながら厨房を手伝って1ヶ月が経った頃、状況に変化が。母体が会社組織だったこともあり、役人が監査に来た時に、いくらお手伝いだからといってもビザなしの日本人が厨房にいると問題になる、という話になって。『本当に悪いんだけど、辞めてもらえる?』と言われてしまったんです」

近況を話すと、シュミシャさんは言った。

「じゃあ、うちで働きなさいよ」

就業率の低い当時のモロッコで、就労ビザを取得するためには、モロッコ人ではなく外国人を雇わなければいけない理由が雇う側に必要だった。そこで、彼女の会社が「日本食の展開を考えているから、日本人シェフが必要だ」という理由を作ってくれ、募集の求人広告を出してくれたのだ。そういう正式な段階を経て、小川さんは晴れてシュミシャさんのアシスタントとなった。

「シュミシャは料理を掘り下げていて知識も豊富

でした。スパイスの加減だったり、野菜の茹で方もそう。タイミングや加減を研究していて、全てに『なぜなら』という理由がついてくる。それまで料理を教えてもらった人に理由を聞いても、『昔からこうだから』という回答ばかりだったから、全然違いました」

2年半働くなかで、シュミシャさんの人気は益々高まっていき、忙しさのあまり辞めてしまうアシスタントも。時間厳守で気が利き、残業も厭わない日本人らしさは評価が高く、気づけば小川さんは8人いたアシスタントのなかでリーダーを担っていた。

「料理がしたくて働いていたけれど、アシスタントを管理する側になって、そろそろ帰国する時期かもと考えるようになりました。やりたいと思っていたこと、全てやってこれたから。もう一つ、このままここにいると、自分自身が強くなりすぎちゃうと思ったんです。人を押しのけるようなことをしないと、バスにも乗れない毎日だったから。そんな自分がだんだん嫌になっていました。モロッコという国は、もうたくさん食べてお腹いっぱい。これ以上いたら嫌いになっちゃうかもしれないなって」

人も料理も一番いいと選んだモロッコでの暮らしが5年経った頃、小川さんは帰国を決めた。好きな国との付き合い方は、暮らすだけではないさまざまな形や触れ合い方がある。

2009年小川さんは、「エンリケマルエコス」を開いた。帰国して1年経った頃だ。モロッコへ行く以前、アルバイトをしていた「バル・エンリケ」の店主から、「ここで店をやったら?」と提案されたのがきっかけだった。

「日本に本当のモロッコ料理を広めたいという一心でスタートしました。帰国後も1年に1~2回はモロッコを訪れて、現地の味を忘れないようにしています。最近、モロッコでは、他国の食材を取り入れたり、フュージョン料理が出てきたりしているから、そういう新たな発見と出合えることも。旅に出るたびにメニューが確立されたり、変化していっていますね」

2021年と2022年、そして2023年、「エンリケマルエコス」はミシュランのビブグルマンに選ばれた。それだけでなく、モロッコ大使公邸に料理人として招かれることもあった。しかし小川さ

11

08

12

09

13

10

08.カサブランカのシュミシャさんのスタジオ　09.当時ともに働いていた仲間　10.撮影準備の様子　11.シュミシャさんの週末番組（シーワツ・ブラディ）でモロッコ中を回った地方ロケ　12.カサブランカのシュミシャさんのスタジオ横にあるキッチン　13.小川さんのモロッコでの最後の仕事は、シュミシャさんの料理番組の収録。新しいスタジオで

14.［エンリケマルエコス］を開店し、モロッコ料理とひたすら一人で向き合う毎日

んは、自身のモロッコ料理を１００％現地の味では無いという。

「モロッコと日本では、水も空気も違うし、日本の食材はモロッコの食材と味わいも違う。同じ料理をモロッコで作った時と、日本で作った時の味わいはやっぱり違う。そんななかでも日々、目指しているのはおかあさんの味。食事に来てくれるモロッコ人が『おかあさんの味だ』って喜んでくれたら、それでいいかな。モロッコ料理は家庭料理だから。今日はどんなにおいしいものが作れるだろう？　そんな気持ちで、やってるんです。毎日同じものを作っても、食材によって仕上がりが違うこともある。だから他の人には任せられない。私は今でも年に２～３回は海外に行くから、よく『誰か雇ったら？』『人を育てなよ』と言われるんだけど、私だって毎日同じ味に作れないのに、誰かを雇ってレシピ通りに作ってもらっても絶対同じに作れないのよ。だから一人でやり続ける。料理ってね、心のバロメーター。モロッコにいた時、『この人が作る料理はなんでいつもおいしいんだろう』と観察していると、そういう人は必ず、なんだか楽しそうに作ってるのよね。ちまちました作業もめんどくさいなんて思わず、丁寧にやっている」

　料理はまるで心を映す鏡のようだ。

「あと、料理に限らないけれど、いいものができるかどうかは、どれだけそのことが好きかということが重要だと思う。13年一人で続けてこれたのは、誰かにやらされているわけでなく本当に自由に料理を作っていられるから。いくらでも時間を費やせるし、労働時間が長くなろうが関係ない。人って好きなことには没頭するし、もっと掘り下げたいと思うし、勉強もするでしょう？　きっと24時間そのことを考えているの。だから、やらされてる人は、好きでやってる人には、やっぱり勝てないよね」

モロッコ料理を学びたいという意思と好奇心、そして何より行動力が培った小川さんのひと皿は、どの料理を食べても真っ直ぐとした芯のようなものを感じる。でも、最後に意外な言葉が小川さんの口から出た。

「長く続けることってすごいことだと思うけど、個人的にはあまり重要ではないの。モロッコ料理を日本に広めたいと思って続けてやってきて、その思いは自分のなかでは満足いくまでやったかな。あともう一回ぐらいは海外で暮らしたいし、死ぬまでここで続けようとは思ってないんです。モロッコ料理は好きだけれど、また新しいことがしたいな。毎日朝起きた時にワクワクしたいの、私」

15.小川さんが大切にしてきた場所［エンリケマルエコス］。東北沢駅から徒歩1分の場所にある

Recipes from the trip

طاجين الدجاج والخضروات

小川歩美さんの旅のレシピ

鶏肉と野菜のタジン

【材 料】

- 骨付き鶏肉…250g
- 玉ねぎ(みじん切り)…100g
- ジャガイモ(0.5cm幅にスライス)…大1個
- ニンジン(縦1cm幅にカット)…中1/2本
- インゲン…7本
- コリアンダー(みじん切り)…大さじ1
- イタリアンパセリ(みじん切り)…大さじ1

A
- ターメリック…小さじ1/2
- ジンジャーパウダー…小さじ1/2
- 塩…小さじ1/2
- オリーブオイル…大さじ2
- ニンニク(みじん切り)…1かけ

【作り方】

1.タジン鍋(厚手の鍋でも代用可)に**A**を入れて混ぜ、鶏肉を食べやすい大きさに切ったものを加えてマリネする。

2.1を弱火にかけ、玉ねぎ、コリアンダー、イタリアンパセリを加えて蓋をし、しんなりするまで鶏肉の上下をかえしながらゆっくりと火を通す。

3.鶏肉にある程度火が通ったら、ジャガイモ、ニンジン、インゲンを加えて蓋をして蒸し煮にし、野菜がやわらかくなるまで煮込んで、できあがり。

※水分が足りない場合、大さじ1点ほどの水(分量外)を加え、多い場合は蓋をずらして蒸気を逃す

06 TABEBITO
世界のごはんのケータリング

OPEN：イベント出店やケータリング
IG @tabebito_catering
※出店情報などはInstagramにて確認

07 FIKAFABRIKEIN

住 東京都世田谷区豪徳寺1-22-3
OPEN：12:00〜19:00
営 火・水曜定休
IG @_fikafabriken_

08 ハチャプリ

住 大阪府大阪市西区川口3-9-8
OPEN：12:00〜20:00（日曜は15:00まで）
営 月・火曜定休
IG @hachapuri

09 ポンチキヤ

住 東京都調布市菊野台1-27-20
OPEN：11:30〜20:00
（16:00〜17:00はお休み）
営 水・木曜定休
IG @paczki_pani_paczkowej

10 UNDERGROUND BAKERY

住 兵庫県神戸市中央区栄町通5-1-1
サンシティ栄町101
OPEN：11:00〜売り切れ次第終了
営 火・木・土曜のみ営業
IG @undergroundscones

11 葡萄牙料理ピリピリ

住 神奈川県横浜市中区相生町5-79-3
ベルビル馬車道1階
OPEN：12:00〜15:00、17:00〜22:00
日曜12:00〜16:00
営 火・水曜定休
☎ 0742-81-0350
IG @piripiri_bashamichi

12 Osteria La Cicerchia

住 大阪府大阪市西区京町堀2-3-4
サンヤマトビル4F
OPEN：18:00〜22:00（LO）
日曜14:00〜21:00（LO）
営 火曜定休（不定休あり）
☎ 06-6441-0731
IG @osteria.la.cicerchia

13 Litus

住 東京都中央区新富2-9-6
OPEN：11:00〜18:00
営 火・水曜定休
☎ 03-6275-2797
IG @ litus2021

14 エンリケマルエコス

住 東京都世田谷区北沢3-1-15
OPEN：18:00〜22:00
土・日曜、祝日17:00〜21:30
営 月・火曜定休
☎ 03-3467-1106
IG @enrique_marruecos

SHOP LIST

本書に登場する14のお店。
現地での思い出や味わいが
詰まったひと皿をいただこう。

※IG＝Instagram
※店舗情報は2023年3月時点のものです

01 vanam

住 奈良県奈良市矢田原町743
OPEN：12:00 ～15:00 ※無くなり次第終了
営 土・日曜、祝日、ときどき平日に営業
※料理教室開催のため不定期営業。詳細はHPにて確認
☎ 0742-81-0350
IG @vanam_nara

02 Samosa wala Timoke

OPEN：イベント出店やケータリング
IG @samosawalatimoke
※出店情報などはInstagramにて確認

03 ベトナム料理研究所

OPEN：八六八ビル（大阪・堺）にて間借り営業
※料理教室を開催
※その他、出店情報・料理教室の日程はInstagramで確認
IG @foodlab.asia

04 小部屋莉婷子

OPEN：完全予約制
※住所非公開
IG @riteco.store
※予約・問い合わせはInstagramのDMにて

05 メシカ

住 和歌山県和歌山市新中通2-37 メゾン雅1F
OPEN：18:00～22:00（LO21:30）
日曜 11:00～14:30（LO14:00）
18:00～22:00（LO21:30）
営 月・火曜定休
☎ 073-488-2868
IG @mexica.wakayama
※営業日の詳細は電話またはInstagramにて確認

本書の制作において、

取材・素材提供などにご協力くださった、すべての方々に心より御礼申し上げます。

【参考文献・資料　一覧】

●島村菜津、合田泰子、北嶋裕　2017年『ジョージアのクヴェヴリワインと食文化』誠文堂新校社

●辻静雄　2009年『フランス料理の学び方　―特質と歴史』中央公論新社

●ミーナ・ホランド 2015年『食べる世界地図』清水由貴子（訳） エクスナレッジ

●ベトナム観光総局 HP

●イタリア政府観光局 HP

●ポーランド政府観光局 HP

●ジョージア政府観光局 HP

●トーゴ友好協会 HP

イラスト:Mana Yamamoto

デザイン:荻田 純(SAFARI inc. / SENTRAL STORE)

取材・編集:小島知世(IN/SECTS)

私と世界をつなぐ、料理の旅路

——14人の「私が料理をする理由」

発行日:2023年5月4日
編:LLCインセクツ
発行者:松村貴樹
発行所:LLCインセクツ
大阪市西区京町堀2-3-1
TEL.06-6773-9881
www.insec2.com
info@insec2.com
印刷・製本:シナノ印刷株式会社

ISBN 978-4-907932-22-0 C0095